CW00548972

Mitología Celta

Mitos celtas fascinantes de dioses, diosas, héroes y criaturas legendarias

Índice

Introducción

Gigantes y hadas, magia druídica, actos imposibles realizados por héroes: todos estos son característicos de los mitos y leyendas celtas. Historias como estas son todo lo que queda del mito de los antiguos celtas, un pueblo cuya lengua y cultura una vez cubrió una amplia franja de la Europa continental y se extendió a Irlanda, Escocia, Inglaterra y Gales. Sin embargo, la cultura y el idioma celtas disminuyeron con la expansión del Imperio romano y el advenimiento del cristianismo; su declive fue muy avanzado a principios de la Edad Media. Hoy en día, lo que queda de las culturas celtas solo se puede encontrar en gran parte en Bretaña, en el noroeste de Francia, y en Irlanda, Escocia y Gales.

No tenemos fuentes antiguas para las historias de los celtas, que originalmente fueron transmitidas oralmente. Los monjes irlandeses escribieron versiones de sus cuentos nativos a partir del siglo VIII, mientras que las redacciones galesas sobreviven en manuscritos que datan del siglo XII en adelante, y las leyendas de Cornualles nunca fueron capturadas en absoluto. Los cuentos bretones se escribieron incluso más tarde, en una época cercana a la moderna: el *Barzazh Breiz*, una colección de canciones populares bretonas que incluye la historia de la ciudad ahogada de Ys, se publicó por primera vez en

1839, lo que dio lugar a cierta controversia sobre su autenticidad como representante del antiguo mito y leyenda bretones.

No se puede subestimar el impacto, primero de la romanización y luego del advenimiento del cristianismo, en la transmisión de estos cuentos. La imposición de una nueva cultura y una nueva religión dio lugar a la pérdida del mito celta original, incluyendo cualquier narración cosmológica. Ahora solo encontramos ecos de este mito original en artefactos físicos como el Caldero de Gundestrup o las tallas de las tumbas neolíticas; en las pocas descripciones de los celtas y sus creencias de fuentes romanas; o en historias como los cuentos irlandeses de los Tuatha Dé Danann, o simplemente los Tuatha Dé ("pueblo de la diosa Danu" y "tribu de los dioses", respectivamente), que son extraordinariamente hermosos, guerreros dotados, educados en la magia y casi inmortales.

Cuando finalmente fueron registrados por los escribas cristianos, los mitos originales se diluyeron, ya que algunos de los antiguos dioses se convirtieron en héroes superhumanos, mientras que otros fueron desterrados a sus montículos en un misterioso y peligroso mundo, la tierra de las hadas. Esto último es de hecho una reinvención de la función de las tumbas en montículos hechas en la antigüedad, que mantuvieron su asociación con los dioses paganos a través de su transformación en los hogares de los Sidhe, o hadas. Estos seres que una vez fueron poderosos, a veces se ven aún más disminuidos cuando son vistos como pequeñas criaturas mágicas aladas, las hadas y pixies que hacen bromas a los descuidados humanos.

El sello del cristianismo en el mito celta se puede ver en Irlanda, en particular, donde los monjes inventaron pseudo-historias y las relacionaron con los cuentos bíblicos, en parte en un intento de reconciliar las antiguas historias paganas con la nueva fe cristiana. Lo hicieron, por ejemplo, haciendo que los antiguos dioses en su disfraz de los Tuatha Dé fueran uno de los varios grupos que invadieron Irlanda y se establecieron allí, pero solo siglos después de que la nieta de Noé condujera a un grupo de su propio pueblo desde Palestina en un intento de escapar del Diluvio. Los escribas irlandeses también intentaron valorar más estas pseudo-historias alegando las conexiones irlandesas con la antigua Grecia, de forma muy similar a como los romanos habían intentado aumentar su propia legitimidad alegando ser descendientes del héroe Eneas después de la caída de Troya. En estos casos, los exiliados de Irlanda van a Grecia por un tiempo en el que se hacen fuertes y a veces adquieren conocimientos mágicos (parte de la historia de los Tuatha Dé) antes de volver a Irlanda una vez más.

Los investigadores modernos han agrupado los mitos irlandeses en uno de los tres ciclos básicos: el Ciclo Mitológico, que contiene las pseudo-historias e historias de héroes dioses como Lug y Lir; el Ciclo del Ulster, que contiene la epopeya Táin Bó Cúailnge ("El robo del toro de Cuailnge") y las leyendas de Cú Chulainn; y el Ciclo Feniano, que cuenta las historias de Finn Mac Cumhaill, otro héroe similar en cierto modo a Cú Chulainn. De estas, solo se cuentan aquí una de las leyendas del Ciclo Mitológico y algunas de las historias de Cú Chulainn.

Los mitos galeses suelen ser referidos bajo el término paraguas de *Mabinogion*. El *Mabinogion* se divide en cuatro grupos conocidos como "ramas", cada una de las cuales implica las aventuras de un protagonista particular. La primera rama trata de Pwyll de Dyfed y se cuenta aquí. Las otras tres ramas cuentan las historias de Branwen hija de Llyr, Manawydan hijo de Llyr, y Mathonwy hijo de Mathonwy, en ese orden. Además de las cuatro ramas del *Mabinogion*, hay un puñado de los llamados "cuentos nativos" que incluyen la historia de Culhwch y Olwen, que también se incluye en esta colección.

Bretaña está representada aquí por el cuento de la Ciudad Ahogada de Ys del *Barzazh Breiz*. Esta historia tiene elementos claramente celtas, aunque nunca fue un mito celta real. Cornualles está representada por la historia de Tristán e Isolda, una leyenda medieval artúrica que tiene resonancias con el antiguo cuento irlandés "La búsqueda de Diarmuid y Grainne".

PARTE I

Irlanda

Los hijos de Lir

Esta historia es un ejemplo perfecto de las formas en que el mito irlandés se filtró a través de una lente cristiana en la Edad Media. Con muy pocas excepciones, los personajes de la historia son todos miembros de los Tuatha Dé Danann, que son una especie de eco de los antiguos dioses celtas: tienen poderes mágicos, y si no son del todo inmortales, viven cientos de veces más que los humanos normales. En esta historia, los Hijos de Lir, cuyo nombre significa "mar" y que aparentemente era una especie de dios celta del océano, son convertidos en cisnes por su malvada madrastra. En esta forma, vagan por el mundo durante más de novecientos años, y su hechizo se revierte solo después de la cristianización de Irlanda, cuando el resto de los Tuatha Dé han partido para siempre.

Los Tuatha Dé Danann eran un pueblo justo, sabio y culto en muchas artes. En una época, se reunieron para elegir quién podría ser su rey, y los dos rivales por el trono eran Lir y Bodb Derg, el hijo de los Dagda. Los Tuatha Dé decidieron que Bodb debía ser su rey.

Esto no le gustó nada a Lir, y dejó la asamblea sin jurar lealtad a Bodb Derg. Los seguidores del nuevo rey le instaron a ir tras Lir, asaltar su casa, quemarla y matar a su gente, pero Bodb Derg se negó, diciendo—: Defenderá su casa, y demasiados morirán en el proceso. Además, sigo siendo rey, me dé o no su lealtad.

Lir tenía una esposa a la que amaba mucho. Un día cayó enferma. Estuvo enferma durante tres noches, y al final de ese tiempo murió. Lir estaba afligido por la pena, y estuvo de luto durante mucho tiempo.

Bodb Derg se enteró de la pérdida de Lir. Pidió el consejo de sus nobles, y todos estuvieron de acuerdo en que sería bueno tratar de ayudar a Lir—. Tengo tres hijas adoptivas que están en edad de casarse—dijo Bodb—y quizás una de ellas sería una buena esposa para Lir.

Así que enviaron mensajeros donde Lir, invitándole a la corte de Bodb. Los mensajeros dijeron que si Lir ofrecía fidelidad a Bodb, podría unir su casa a la de los Dagda casándose con una de las hijas adoptivas de Bodb. Lir lo pensó bien y decidió aceptar. Reunió a sus nobles a su alrededor, y fueron en cincuenta carrozas a la corte de Bodb Derg, donde fueron muy bien recibidos.

En la fiesta, las hijas adoptivas de Bodb se sentaron en un banco con su madre adoptiva, la esposa de Bodb y la reina de los Tuatha Dé. Bodb las presentó a Lir, y sus nombres eran Aobh, Aoife y Ailbhe. Bodb le dijo a Lir—Puedes elegir cuál de mis hijas adoptivas quieres tener como esposa.

Lir respondió—No sé cuál elegir, pero creo que es mejor tomar a la más noble de ellas, y esa sería la mayor.

—Aobh es la mayor—dijo Bodb—y será tu esposa esta noche si lo deseas.

—Es mi deseo—dijo Lir, y así él y Aobh se casaron esa noche.

Lir se quedó en la corte de Bodb Derg durante quince días y luego volvió a su casa, donde hizo un gran festín entre su gente para celebrar su boda con Aobh.

Muy pronto, Aobh se encontró embarazada, y cuando llegó el momento, nacieron gemelos. Una hija y un hijo tuvo, y se llamaban Fionnula y Aodh. Poco después volvió a quedar embarazada y tuvo dos hijos más, varones llamados Fiachra y Conn, y al darles a luz Aobh murió. Esto le causó a Lir una pena tan grande que podría haber muerto por ello, si no hubiera tenido cuatro pequeños a los que cuidar.

Cuando la noticia de la muerte de Aobh llegó a la corte de Bodb Derg, todos allí entraron en duelo, porque Aobh era una mujer hermosa y muy amada. Bodb Derg se entristeció por Lir, y una vez más pidió consejo a sus nobles. Decidieron invitarlo a la corte de nuevo y darle a la hermana de Aobh, Aoife, como esposa. Se enviaron mensajeros a Lir con la oferta del rey, y Lir dijo que aceptaría con gusto una vez que su luto se completara. Cuando pasó ese tiempo, Lir fue a la corte de Bodb Derg, y allí tomó a su esposa Aoife.

Aoife y Lir vivieron juntos felizmente como marido y mujer durante varios años. Aoife nunca tuvo hijos propios, pero se preocupaba por sus hijastros, y ellos la querían mucho. En verdad, todos amaban a los hijos de Aobh, porque eran atractivos y encantadores. Su abuelo, el rey, visitaba con frecuencia la casa de Lir para estar con ellos y también los llevaba a su corte para quedarse de vez en cuando, y toda la corte de Bodb Derg estaba encantada con ellos. Y Lir amaba especialmente a sus hijos y los cuidaba generosamente.

Aoife vio cómo los niños capturaban los corazones de todos los que los conocían, y lo mucho que Lir los amaba, y los celos comenzaron a comerse su corazón. Pronto no tuvo nada más que desprecio por los niños, que se esforzó en ocultar fingiendo estar enferma. Estuvo enferma durante todo un año, mientras ideaba un malvado plan para deshacerse de ellos. Y cuando el año terminó, anunció que su enfermedad había pasado y que deseaba hacer un viaje con los niños. Llamó a una carroza para que los llevara a visitar a su padre adoptivo, el rey.

Fionnula se negó a subir a la carroza diciendo—: No sé adónde quieres llevarnos, pero sé que no es a la casa de nuestro abuelo. Anoche tuve un sueño, y creo que no tienes buenas intenciones con nosotros.

—Mi querida niña—dijo Aoife— ¿cómo puede ser eso? No deseo nada más que lo mejor para ti y tus hermanos. Vamos a visitar Bodb Derg, como lo hemos hecho a menudo. No tengas en cuenta los sueños tontos.

Al final, Fionnula no pudo resistirse a Aoife y se subió a la carroza con ella y sus hermanos. Siguieron conduciendo durante un tiempo, hasta que llegaron al Lago Dairbhreach, el Lago de los Robles. Era un buen día de verano, y muy caluroso, así que Aoife le dijo a los niños que fueran al lago y se bañaran para refrescarse. Los niños se quitaron la ropa, y cuando entraron al agua Aoife los golpeó con su varita de druida, diciendo:

Que la suerte les sea arrebatada a todos ustedes

No serán más niños

En forma de pájaros se irán

Y gritos de luto llenarán el hogar de su padre.

En esto, los niños se convirtieron en cuatro hermosos cisnes blancos. Pero por lo que Aoife pudo cambiar sus formas, no pudo quitarles el poder del habla humana. Fionnula reprochó a Aoife, diciendo— ¿Por qué nos has hecho esto? Seguramente nunca te hemos hecho ningún mal que merezca tal castigo. Debes saber esto, bruja: buscaremos ayuda dondequiera que exista, y pronto tendrás lo que te mereces por esta acción. Pero hasta que llegue el día en que tengas que rendir cuentas, al menos ten piedad de poner límites a nuestro tiempo bajo este hechizo.

Aoife se enfadó por el desafío de Fionnuala, y respondió—Era mejor que no hubieras pedido ese favor, porque ahora te digo que tus propias formas no las encontrarás hasta que el Señor del Norte se case con la Señora del Sur, y hasta que hayas pasado trescientos años en Loch Dairbhreach, y trescientos años en Sruth na Maoile entre Irlanda y Alba, y trescientos años entre Irrus Domnann e Inis Gluaire.

Pero entonces Aoife miró a los niños cisne, su corazón se ablandó hacia ellos en su difícil situación, aunque no se arrepintió. Dijo—Esos serán los límites, pero les concedo esto: que siempre mantengan el lenguaje humano, y que siempre canten con las voces de los Sidhe, y la música de su canción será la más bella del mundo y pondrán a los hombres mortales en un dulce sueño. Y el pensamiento humano también deben mantener, y la nobleza de sus espíritus, para que sus dificultades sean menores.

Entonces Aoife montó en su carroza y continuó hacia la corte de Bodb Derg, dejando a los niños cisnes lamentándose detrás de ella en el lago. Cuando llegó a la casa de su padre adoptivo, él le preguntó qué había sido de sus nietos.

—No los traje—dijo Aoife—porque ya no tienes la confianza de Lir. Él teme al amor que les tienes y piensa que los mantendrás aquí para siempre.

Bodb Derg estaba desconcertado por esto, porque aunque los niños eran muy queridos para él, nunca había pensado en quitárselos a su padre, ni le había dado a Lir ningún motivo para pensar que podría hacerlo. Bodb envió mensajeros a la casa de Lir, con el pretexto de preguntar por sus hijos, diciendo que Aoife le había dicho a Bodb que Lir se los estaba ocultando. Con esto Lir entendió la enfermedad de Aoife, y que había destruido a sus hijos.

Lir pidió que ensillaran los caballos, y tomando un grupo de hombres seleccionados, emprendió el camino por el que Aoife se había ido. Cuando llegaron a la orilla del lago Dairbhreach, los niños cisne oyeron los golpes de los cascos y se reunieron en la orilla cerca del camino. Llamaron a los hombres con sus propias voces humanas, y Lir los escuchó. Él y sus compañeros se detuvieron, y Lir dijo a los cisnes– ¿Quién eres tú, que puedes hablar y yo puedo entender?

–Somos tus propios hijos queridos–dijo Fionnula–. La malvada Aoife nos ha encantado en la forma de cisnes.

Lir preguntó– ¿Cómo puedo revertir esta magia y devolverles sus propias formas?

–No hay forma que yo sepa–dijo Fionnula–porque ella ha puesto el encantamiento en nosotros durante novecientos años.

Entonces Lir y sus compañeros gritaron de dolor, y se lamentaron allí en las orillas del lago. Cuando terminaron de llorar, Lir dijo–: Ya que aún tienen el poder de la palabra y de la razón humana, ¿no volverán a casa con nosotros? Porque incluso en forma de cisnes todavía son mis propios hijos queridos, y los quiero tener conmigo.

–No podemos dejar el Lago Dairbhreach–dijo Fionnula–porque eso también es parte del encanto. Pero descansa aquí esta noche, y cantaremos para ti una dulce canción que te quitará tus penas por un tiempo.

Y así fue que Lir y sus compañeros acamparon allí para pasar la noche, y los niños les cantaron para dormir con sus dulces voces.

Por la mañana, Lir se preparó para salir, pero su corazón se sentía pesado porque no podía llevar a sus hijos con él. Se despidió con lágrimas en los ojos y luego cabalgó con sus compañeros a la corte de Bodb Derg. Allí Lir fue bien recibido, pero no dio ninguna pista de lo que había encontrado en el lago hasta que Bodb le preguntó dónde estaban los niños, y Aoife estaba con él en ese momento.

–Para eso tendrás que preguntarle a tu hija adoptiva, Aoife–dijo Lir–porque ella los ha convertido en cisnes y los ha destinado a permanecer a las orillas del lago Dairbhreach.

Al principio Bodb no creía en la historia de Lir, pero finalmente se volvió hacia Aoife y preguntó– ¿Es esto cierto?

Y ella tuvo que admitir que lo era. Bodb le dijo a Aoife– ¿Qué forma es la más aborrecible para ti en las que pudieras convertirte?

Aoife dijo—La de un demonio del aire.

Así que Bodb cogió su propia varita de druida y convirtió a Aoife en un demonio del aire. Voló tres veces alrededor del salón de Bodb Derg y luego por una ventana abierta. Nunca más se la vio con forma de mujer, y por lo que todos saben, sigue volando como un demonio del aire.

Entonces Bodb Derg convocó a su séquito, y se fueron con Lir y sus compañeros a vivir a la orilla del lago Dairbhreach donde podrían ver a los niños cisne y escuchar su canción. Después de un tiempo, más Tuatha Dé Danann llegaron e hicieron sus casas allí, al igual que la gente de los Hijos de Mil, ya que escuchar la música de los niños era muy dulce, y conversar con ellos era como hablar con los seres humanos, aunque tuvieran la forma de cisnes. Y así pasaron trescientos años en el Lago Dairbhreach.

Al final de esos trescientos años, Fionnula y sus hermanos fueron ante su padre y Bodb Derg y dijeron—Mañana debemos volar lejos de aquí e ir a Sruth na Maoile, porque así es el curso de nuestro encantamiento.

Lir y Bodb Derg se entristecieron mucho por esto y lloraron muchas lágrimas, y los niños también se entristecieron, porque no querían dejar atrás a su padre y a su abuelo. Finalmente no pudieron demorarse más. Los niños cisne extendieron sus alas y alzaron el vuelo, y no se detuvieron hasta que llegaron a Sruth na Maoile. Y allí el sufrimiento de los niños se multiplicó por diez, ya que estaban obligados a permanecer en las aguas del frío y profundo mar.

Una tarde mientras el sol se ponía, Fionnula miró al cielo y vio que se acercaba una tormenta. Tenía miedo, porque podía ver que la tormenta era fuerte y que probablemente ella y sus hermanos se perderían el uno al otro para siempre antes de que terminara. Por lo tanto, les dijo—: Si la tormenta nos separa, vayan cuando puedan a

Carraig na Ron, la Roca de las Focas. Ese es un lugar que todos conocemos, y podemos encontrarnos allí si las olas y el viento nos dividen.

Los chicos estuvieron de acuerdo en que este era un buen plan. Esa noche, la tormenta se les vino encima con olas tan altas como casas y un viento impetuoso que aulló y se desató sobre las aguas. Como Fionnula había previsto, ella y sus hermanos se separaron. Cuando llegó la mañana, Fionnula luchó por llegar a Carraig na Ron, donde se encaramó a la cima de la roca y miró de un lado al otro para ver si sus hermanos estaban allí. Pronto llegaron a la roca, todos temblando y arrastrándose por el viento y el mar. Así que Fionnula tomó a Fiachra y a Conn bajo sus alas, y a Aodh bajo las plumas de su pecho, y pronto estuvieron todos juntos secos y calentitos.

Y allí se quedaron, en la roca en medio del mar, hasta que una noche llegó una helada profunda, con nieve, y por la mañana los niños cisne encontraron que el hielo y la escarcha habían atado sus pies a la roca y parte de las plumas de sus alas con ellos. Con gran esfuerzo se soltaron, pero la piel de sus pies quedó en la roca, así como muchas de sus plumas, y sufrieron un gran dolor por sus heridas. Poco a poco los niños cisne huyeron a la orilla, donde permanecieron durante el día para que sus heridas se curaran, pero cada noche volvieron a las aguas del estrecho, como les obligaba la maldición de su madrastra. Y así pasaron cien años y más para ellos de esta manera, durante el día a veces parados en Carraig na Ron, a veces llegando a las costas de Irlanda o de Alba, pero siempre pasando la noche en las agitadas olas del Sruth na Maoile.

Un día los niños cisne se dirigieron a la desembocadura del río Bann, y vieron venir hacia ellos una compañía de jinetes. Todos los hombres eran guerreros, vestidos con brillantes mantos con broches de joyas y ceñidos con espadas, todos ellos a horcajadas de caballos tan blancos como las plumas de los cisnes. Los niños esperaron hasta que los jinetes estuvieran lo suficientemente cerca, y luego los llamaron, porque pensaron que tal vez los jinetes eran de los Tuatha Dé y así podrían darles noticias de su padre y su abuelo.

Al oír las voces de los niños cisne, los hombres se detuvieron en sus caballos. Dos de ellos desmontaron y se dirigieron a donde estaban los cisnes.

—Saludos—dijeron—. Es extraño oír a los cisnes hablar en nuestro idioma, y sabríamos quiénes son ustedes.

—Somos los hijos de Lir—dijo Fionnula—. Soy yo, Fionnula, y mis hermanos Aodh y Fiachra y Conn, y fuimos encantados en forma de cisnes por nuestra madrastra, Aoife. Dinos ahora quién eres, y quién puede ser tu gente, porque esperamos que tengas noticias para nosotros de nuestro padre y abuelo.

—Soy Aodh—dijo el primer hombre—y este es mi hermano, Fergus. Somos los hijos de Bodb Derg. Nos alegramos de haberles encontrado, porque nadie ha sabido qué fue de ustedes después de dejar el lago Dairbhreach. Les hemos buscado durante mucho tiempo.

—También nos alegramos—dijo Fionnula—. Dinos, si quieres, ¿cómo están nuestro padre y nuestro abuelo?

—Los dos están bien y viven juntos en la casa de tu padre—dijo Aodh Aithfhiosach—y son bastante felices, salvo que han deseado mucho tener noticias suyas.

Entonces Fionnula y sus hermanos le contaron a Aodh y Fergus todo lo que habían sufrido en su tiempo en Sruth na Maoile, y fue una verdadera pena para los hijos de Bodb Derg escuchar este cuento. Prometieron a los niños cisnes contarles a Lir y Bodb Derg toda su historia, y llevarles sus saludos. Lir y Bodb Derg se alegraron al oír que los niños aún vivían, aunque tenían una gran pena por sus sufrimientos, y de nuevo deseaban de corazón que hubiera algo que pudieran hacer para romper el encantamiento y traer a los niños a casa, pero no había nada que hacer.

Y así pasó el resto de los trescientos años en Sruth na Maoile, hasta que llegó el momento de que los niños cisne fueran a Irrus Domnann e Inis Gluaire. Allí fueron en forma de cisne, y allí pasaron los siguientes trescientos años, donde les fue un poco mejor que en Sruth na Maoile.

Al final de esos trescientos años, los niños cisne ya no estaban atados a Irrus Domnann e Inis Gluaire, así que huyeron a la casa de su padre en Sidhe Fionnachaidh. Durante todo el camino los corazones de Fionnula y sus hermanos se alegraron y esperanzaron, porque deseaban de todo corazón volver a ver a Lir, y también a Bodb Derg, y estar entre su propia gente. Pero cuando llegaron, no sabían qué hacer, ya que Sidhe Fionnachaidh estaba abandonado y vacío. Los campos estaban cubiertos de zarzas. La casa sin techo estaba abandonada al viento y a la lluvia y las piedras de las paredes caían sobre el césped. Fionnula y sus hermanos se lamentaban juntos al ver esto y cantaron una canción tan llena de dolor que si la hubiera escuchado hasta el guerrero más endurecido habría muerto de un corazón roto por el mismo dolor. Y así los niños cisne pasaron esa noche en las ruinas de la casa de su padre, y por la mañana volvieron a Inis Gluaire.

Los niños cisnes se quedaban a veces en Inis Gluaire, y a veces volaban a otros lugares, pero siempre estaban en su forma de cisnes, y siempre lamentaban la pérdida de su padre y abuelo y de su gente, los Tuatha Dé Danann. Y de esta forma vivieron hasta después de la llegada del Bendito San Patricio a Irlanda y San Mochaomhog había construido su iglesia en Inis Gluaire.

Una noche, cuando estaban en Inis Gluaire, escucharon el sonido de una campana.

—¿Qué es ese sonido? —preguntó Fiachra.

—Esa es la campana de Mochaomhog—respondió Fionnula—. Vengan, vayamos a buscar a ese sacerdote, porque quizá tenga una forma de acabar con nuestra maldición.

La campana de Mochaomhog sonó hasta el final de los maitines, y cuando terminó los niños cisne comenzaron a cantar la canción del Sidhe. Mochaomhog en su iglesia escuchó su canción y rezó a Dios para saber de dónde venía. En un sueño, vio a los niños cisne deslizándose en el lago cercano, y por la mañana fue a buscarlos. Cuando llegó al lago, vio a los niños cisnes allí, como habían estado en su sueño.

—¿Son ustedes los hijos de Lir? – preguntó Mochaomhog, y los niños cisne le dijeron que sí.

—Vengan conmigo—dijo el sacerdote—y quédense bajo mi cuidado, porque se me ha encargado ver que todo esté bien para ustedes.

Los niños cisne se fueron con él y luego volvieron a su iglesia, y vivieron con él. Cada día, Mochaomhog daba la Santa Misa, a la que los niños cisne asistían reverentemente. Mochaomhog también tenía collares de plata hechos a medida para ellos, con una cadena entre cada par de collares. Fionnula estaba unida a Aodh, su gemela, y Fiachra y Conn estaban unidos de la misma manera. Los niños cisne vivían en paz y muy contentos con Mochaomhog, y él los cuidaba bien.

Ahora, en ese momento había un rey en Connacht, y su nombre era Lairgnen y su esposa se llamaba Deoch. Y su matrimonio fue el cumplimiento de la condición de Aoife de que el Señor del Norte se casara con la Señora del Sur. La noticia de que los hijos de Lir vivían en la iglesia de Mochaomhog llegó a oídos de Deoch, y ella deseaba que se los trajeran. Lairgnen entonces envió mensajeros a Mochaomhog, pidiéndole que enviara las aves a la reina, pero el sacerdote se negó. Esto enfureció mucho al rey, así que fue al mismo Inis Gluaire para tomar las aves de Mochaomhog, por la fuerza si era necesario.

Pero cuando Lairgnen pidió los cisnes, Mochaomhog dijo—No te los daré, aunque seas el rey de todo el mundo.

El rey se levantó enfurecido y fue a donde los niños cisnes se escondían en la iglesia. Lairgnen los tomó en sus manos, pensando en llevarlos a casa con su esposa, pero tan pronto como los tocó, sus formas de cisne desaparecieron. Lairgnen se encontró agarrando los brazos de una mujer y tres hombres, todos de pelo blanco y marchitos por la edad. Esto asustó tanto a Lairgnen que salió corriendo de la iglesia y volvió a su casa sin mirar atrás.

Entonces Fionnula llamó a Mochaomhog—Ven a nosotros, rápido, porque nuestra muerte está sobre nosotros. Escucha mi última petición, y haz lo que te pido por amor a mí y a mis hermanos. Entiérrennos a todos juntos, con Conn a mi izquierda y Fiachra a mi derecha, y mi hermano Aodh en mis brazos. Y ahora nos bautizarás a todos en el nombre de tu Dios para que podamos estar con él en el paraíso.

Y así se hizo todo esto. Mochaomhog bautizó a los cuatro ese mismo día. Fallecieron poco después, y fueron enterrados juntos de la manera que Fionnula pidió, con una lápida colocada sobre ellos con sus nombres grabados en ella en ogham. Mochaomhog y la gente de su parroquia lloraron la muerte de los niños cisne, cuyas almas fueron llevadas al paraíso después de sus largas vidas de sufrimiento.

Y eso es todo lo que se sabe de los Niños de Lir.

El nacimiento de Cú Chulainn

Como corresponde a un héroe celta, Cú Chulainn nace no una vez sino tres veces, un número místico que denota los orígenes del otro mundo. Su primer nacimiento es de padres del otro mundo, el segundo del dios Lug, y el tercero de un padre humano. Sabemos que la primera familia es del otro mundo por la bandada de pájaros que llevan a Conchobar y Deichtine a ellos; y también por el lugar de nacimiento en Brugh na Boinne, hogar de una importante serie de antiguas tumbas paganas que se consideraban pasajes al otro mundo.

Cuentos como estos a menudo contienen pistas sobre la antigua cultura irlandesa, como la práctica de las familias nobles de enviar a sus hijos a un hogar de acogida. Recibir al hijo de otra familia noble se consideraba tanto un derecho como un privilegio y podía conferir un estatus a la familia de acogida.

El pueblo de Ulster una vez fue acosado por una gran bandada de pájaros. Los pájaros venían a la llanura de Emain, y dondequiera que se posaran comían lo que crecía allí. Las cosechas se estaban arruinando, y la gente de Ulster estaba enfadada y asustada.

Conchobar fue con sus nobles en nueve carrozas para perseguir a la bandada y hacer que se fueran si podían. Deichtine, la hermana de Conchobar, fue con ellos, conduciendo la carroza por su hermano. Conall, Laegire y Bricriu, el mejor de los guerreros del Ulster, acompañaron también a Conchobar y Deichtine.

Conchobar y su compañía persiguieron a los pájaros a través de Sliab Fuait. Los persiguieron a través de Edmonn y Breg Plain. Había nueve veintenas de pájaros, volando siempre delante de ellos, cantando una elegante canción. A medida que las carrozas se acercaban, los guerreros podían ver que los pájaros llevaban collares de plata, y que los pares de pájaros estaban unidos con cadenas de plata. El día avanzaba, y Conchobar y su compañía no podían acercarse más a ellos. Al ponerse el sol, vieron a tres de los pájaros separarse de la bandada y salir volando.

Los hombres del Ulster persiguieron a los pájaros hasta Brugh na Boinne, pero entonces cayó la noche y tuvieron que parar. Conchobar dijo a su compañía que soltaran los caballos de sus rastros, y que buscaran un lugar donde pudieran refugiarse para pasar la noche. Mientras los demás cuidaban de los caballos, Conall y Bricriu fueron a buscar refugio. Encontraron una casa que estaba en un lugar solitario. En la casa había un hombre y su esposa, y la esposa estaba embarazada. Les dijeron a Conall y Bricriu que su compañía sería muy bienvenida.

Conall y Bricriu volvieron y le dijeron a Conchobar lo que habían encontrado, y pronto toda la compañía se alojó en la pequeña casa que estaba sola en la llanura. Había comida y bebida en abundancia, y los Ulster se divirtieron mucho. Mientras estaban en la mesa, el hombre vino a Conchobar y dijo—Por favor, ayúdenos. Mi esposa está sufriendo.

Deichtine dejó la compañía y fue a ayudar a la mujer. Pronto la mujer dio a luz a un buen niño. También había una yegua en la casa, que dio a luz a dos potros. Esto sucedió exactamente cuando la mujer dio a luz a su hijo. Deichtine amamantó al niño, y los guerreros le dieron los potros como regalo.

Cuando todo esto terminó, la compañía se acostó a dormir. Pero cuando llegó la mañana, se despertaron para ver que la casa había desaparecido, junto con el hombre, la mujer y la yegua. En los pliegues del manto de Conchobar yacía el bebé, y con sus propios caballos estaban los dos potros. Los hombres miraron a su alrededor y descubrieron que la bandada de pájaros también había desaparecido. Entonces, prepararon sus caballos y volvieron a Emain, donde Deichtine cuidó al bebé como si fuera suyo. El bebé creció bien bajo el cuidado de Deichtine, pero un día enfermó y murió, y el dolor de Deichtine fue muy grande.

Una vez después de esto, Deichtine tuvo sed. Tomó un trago de agua pero no se dio cuenta de que una pequeña criatura estaba en la copa. Se tragó a la criatura junto con el agua. Esa noche, Deichtine tuvo un sueño. En el sueño, un hombre se acercó a ella. Era guapo y robusto, obviamente un poderoso guerrero. El hombre le dijo—: Yo fui quien te trajo a ti y a tu compañía a Brugh na Boinne. Era mi hijo al que cuidaste como si fuera tuyo. Mi nombre es Lug mac Ethnenn. Te doy otro hijo esta noche, y lo llamarás Setanta. Lo criarás con los potros que también nacieron en Brugh na Boinne.

Poco después, Deichtine se encontró embarazada. Pero no estaba casada, así que la gente del Ulster susurró entre ellos que quizá Conchobar se había acostado con su propia hermana una noche, cuando estaba borracho. Esto avergonzó a Conchobar, así que la casó con Sualdam mac Roich.

En su noche de bodas, Deichtine no quiso acostarse con su marido mientras estaba embarazada. Se puso enferma y vomitó. Cuando vomitó, la criatura que había tragado salió de su cuerpo. Habiéndose purificado así, fue con su nuevo marido y se acostó con él. Fue embarazada por él, y cuando llegó el momento, dio a luz un hijo. Llamó al niño Setanta.

Cuando nació el hijo de Deichtine, los nobles de la corte de Conchobar discutieron sobre quién lo acogería. Cada uno de ellos se jactaba de su riqueza y habilidades, y de cómo sería la mejor opción para criar al niño. Entonces Conchobar dijo—No discutamos de esta manera. Mi hermana Finnchaem cuidará del niño hasta que volvamos a Emain, y allí pediremos juicio a Morann, que es sabio y juzga con justicia.

Se hizo como dijo Conchobar. Todos regresaron a Emain, y Finnchaem cuidó de Setanta. Fueron a ver a Morann y le dijeron el asunto que había que decidir. Morann dijo—Conchobar debería ser su padre adoptivo porque es el pariente de Setanta. El resto de ustedes también le acogerán y le enseñarán las cosas que saben. Este chico será un héroe y el defensor del Ulster, y todos ustedes le ayudarán a alcanzar su destino.

Los hombres de Ulster pensaron que era un juicio justo, así que Setanta fue entregado primero a Finnchaem y Amergin en su casa del fuerte Imrith en la llanura de Murtheimne hasta que tuviera edad suficiente para aprender lo que los demás tenían para enseñarle.

Cómo Cú Chulainn obtuvo su nombre

Como muchos héroes, Cú Chulainn -cuyo nombre de infancia fue Setanta, como hemos visto- posee una fuerza y una habilidad prodigiosas desde una edad temprana. En esta historia, aprendemos cómo obtuvo el nombre de Cú Chulainn, que significa "Sabueso de

Culann". La traducción de la palabra irlandesa cu como "sabueso" es importante porque se refiere a un tipo particular de perro, un animal noble y un cazador -o, como en este cuento, un feroz perro guardián- mientras que la palabra gadhar *se refiere a un perro más ordinario.*

El Hurling, que es jugado por Cuchulainn y los niños de Conchobar, es un antiguo deporte irlandés que se sigue practicando hoy en día. Los jugadores usan "hurleys", que son algo así como palos de hockey con cabezas redondeadas, para golpear o llevar una pelota pequeña. También pueden usarse las manos y los pies para mover la pelota. Los puntos se anotan golpeando la pelota sobre los postes de la meta del oponente o en una red que es custodiada por el guardameta del oponente.

Fidchell*, el juego que juega Conchobar en este cuento, también es muy antiguo. A veces la palabra* fidchell *se traduce como "ajedrez", pero aunque sabemos que* fidchell *era una especie de juego de mesa jugado por dos oponentes con un número igual de piezas, no han sobrevivido los tableros, piezas o reglas para* fidchell*, por lo que no está claro exactamente qué tan parecido podría haber sido al juego de ajedrez tal como lo conocemos hoy en día.*

Setanta, que nació tres veces, creció hasta la infancia en una gran casa en la llanura de Muirthemne. Un día, cuando Setanta tenía cinco años, los cuentos de los niños de Emain Macha llegaron a sus oídos. Escuchó que al rey Conchobar le gustaba dividir su día en tres partes: una parte era para ver a la tropa infantil en sus juegos, de los cuales el lanzamiento era el más importante; una era para jugar *fidchell*; y la tercera era para comer y beber y escuchar la música de los juglares hasta que se sintiera somnoliento y se retirara a su habitación.

Setanta fue a su madre y le dijo—: Madre, me gustaría ir a Emain Macha. Me gustaría conocer a los niños de Conchobar y ver si puedo superarlos en sus deportes.

—Oh, Setanta—dijo su madre—no deberías ir. Eres demasiado joven y no hay ningún guerrero que te acompañe para garantizar tu seguridad.

—No necesito un guerrero que me proteja—dijo Setanta—. Y no voy a esperar. Tengo intención de irme ahora, si me indicas el camino.

La madre de Setanta aceptó a regañadientes, y le dijo cómo llegar a Emain Macha. Al día siguiente, Setanta partió hacia la corte de Conchobar. Llevó consigo su escudo, su hurley de bronce, su bola de plata, su jabalina y su lanza de juguete, y con estas cosas se divirtió en su largo viaje. Primero usó el hurley para golpear la pelota, conduciéndola a una gran distancia delante de él. Luego tiraba el hurley a la misma distancia en la misma dirección, y luego la jabalina de la misma manera, y luego la lanza. Una vez hecho esto, corría detrás de todo esto y recogía la pelota, el hurley y la jabalina, y luego atrapaba la lanza antes de que golpeara el suelo.

Muy pronto, Setanta llegó a Emain Macha. Allí encontró a la tropa infatil de Conchobar en su deporte. Había tres veces cincuenta chicos, todos jugando en un campo verde. Algunos jugaban al hurley, mientras que otros aprendían el arte de la guerra con el hijo de Conchobar, Follamain. Sin decir una palabra a ninguno de ellos, Setanta se zambulló en el juego de hurley. Cogió la pelota entre sus rodillas y la sostuvo allí, y ninguno de los chicos pudo tocarla. Sosteniendo el balón de esta manera, bajó por el campo y puso el balón sobre el poste para marcar un gol. El grupo de niños vio esto con asombro.

Follamain también lo vio y gritó—: ¿Quién es este advenedizo que entra en su juego sin obtener primero su garantía de protección, como es su costumbre? Todos ustedes ahora, vayan y mátenlo, porque no tiene derecho a estar aquí.

La tropa infantil tomó inmediatamente sus hurleys y los arrojó a la cabeza de Setanta, pero él los detuvo a todos y cada uno de ellos con su propio hurley. Luego los chicos lanzaron pelotas a Setanta, pero él las agarró con las manos y los brazos. Cuando los chicos le arrojaron sus pequeñas lanzas, Setanta cogió cada lanza con su escudo, y así quedó ileso. Entonces Setanta se metió entre los chicos y derribó a cincuenta de ellos, que eran los mejores, los más fuertes y los más hábiles de toda la tropa.

Mientras Conchobar se sentaba a jugar *fidchell* con Fergus, cinco de los chicos pasaron a toda velocidad, tratando de escapar de la ira de Setanta, con el propio Setanta pisándoles los talones. Conchobar llamó a Setanta.

—¡Alto, ahí! – dijo—. ¿Qué juego es este que juegas con mi tropa de niños? ¿Por qué los usas tan mal?

—Esa pregunta también se la puedes hacer a ellos—dijo Setanta—, porque vengo de una tierra lejana y nadie me recibe como huésped.

—Ya veo—dijo Conchobar—. ¿Quién eres tú y quiénes son tus padres?

—Soy Setanta, hijo de Sualdam y de tu hermana, Deichtine, y no esperaba ser tratado como un enemigo aquí.

—¿No sabías que es costumbre de mi tropa de niños que todos los forasteros deben rogar su protección antes de unirse a ellos en su deporte? —dijo Conchobar.

—No lo sabía—respondió Setanta—de lo contrario lo habría hecho desde el principio.

Conchobar se dirigió a la tropa y dijo—: Ahora le prometerán a este muchacho su protección—y la tropa acordó que lo harían.

Entonces Conchobar le dijo a Setanta—, ¿Qué vas a hacer ahora?

—Ofreceré mi protección a la tropa.

—Prométemelo, entonces—dijo Conchobar—. Júralo ahora.

—Lo juro—dijo Setanta.

Entonces los chicos volvieron a su juego, y ayudaron a levantarse y atendieron sus heridas a los que Setanta había derribado.

Un día, cuando Setanta tenía seis años, Conchobar salió con algunos de sus mejores guerreros y con el druida Cathbad para asistir a un festín en la casa de Culann el herrero. Según su costumbre,

Conchobar fue primero al campo de juego para ver qué hacían los niños y pedirles su bendición en su viaje. Cuando llegó, vio a los chicos jugar un partido tras otro, toda la tropa contra Setanta, y en cada partido Setanta derroto a todos con facilidad. Conchobar estaba asombrado por esto, e invitó a Setanta a ir al festín con él.

—Te doy las gracias—dijo Setanta—pero primero debo terminar mi deporte con la tropa. Me reuniré contigo allí más tarde.

Conchobar se adelantó al festín con sus guerreros. Cuando llegaron, Culann les saludó y dijo—: ¿Esta es toda la compañía? Pregunto esto porque tengo un gran sabueso que vigila mi ganado. Es astuto y vicioso, y tan fuerte que se necesitan tres hombres que sostengan sus tres cadenas para mantenerlo atrás cuando se despierta. Lo dejaré ir cuando la puerta esté cerrada y tú y tu compañía estén dentro.

—No hay otros que nos sigan—dijo Conchobar, porque había olvidado que Setanta se uniría a ellos cuando terminara su juego.

La compañía se sentó en el banquete que había preparado Culann, y se divirtieron mucho cuando escucharon el aullido del sabueso afuera. Entonces Conchobar palideció, porque recordó que Setanta iba a seguirlos, y el sabueso estaba suelto en el campo. Conchobar corrió hacia la ventana al oír el aullido del sabueso, al igual que Culann y el resto de la compañía. Con gran consternación vieron al pequeño Setanta atravesar el campo, divirtiéndose con su hurley y su pelota, golpeándola y luego corriendo para atraparla antes de que tocara el suelo, y el gran sabueso corriendo hacia él con tal velocidad que ni siquiera la carroza más rápida podría atraparlo antes de que llegara al muchacho.

El sabueso fue hacia Setanta, sus fauces abiertas de par en par para tragárselo de un solo bocado. Pero Setanta ni siquiera se inmutó. En su lugar, tomó su hurley y golpeó la pelota con fuerza contra el sabueso. Golpeó la pelota con tal fuerza que bajó directamente por el gaznate del perro y pasó por todo su cuerpo sin detenerse. Entonces Setanta agarró al sabueso por las patas traseras y golpeó su espalda contra un árbol con tanta fuerza que sus extremidades se salieron de sus sitios.

Culann, Conchobar y los guerreros salieron corriendo para ver qué había sido de Setanta, y encontraron al chico de pie junto a los restos del sabueso. Culann se lamentó cuando vio que el sabueso estaba muerto—. ¡Oh, nunca debía haber dado este banquete! — dijo—. Ese sabueso era el mejor de todos los tiempos, y era como parte de mi familia. Cuidó de mi casa y de mis bienes, ¡y nunca más se volverá a ver a alguien como él!

—No te apenes—dijo Setanta—porque yo mismo criaré un cachorro para que ocupe su lugar, y él hará el mismo deber y más por ti. Y hasta que ese cachorro esté listo, yo mismo seré tu sabueso, cuidando tu casa y tu propiedad, y toda la llanura de Murtheimne.

Culann aceptó esto como pago de la deuda de Setanta, y Conchobar también dijo que era una oferta justa. Entonces Cathbad el druida dijo—Tu nombre de ahora en adelante será Cú Chulainn, el Sabueso de Culann.

Setanta se declaró muy satisfecho con esto, y usó ese nombre hasta el final de sus días.

PARTE II

Gales

Pwyll, príncipe de la muerte

Esta historia, de la primera rama del Mabinogion *galés, tiene muchas características del mito celta, especialmente en las fluidas fronteras entre el mundo humano y el otro mundo. La primera indicación de que el humano Pwyll ha traspasado esa frontera es el color de la extraña manada de caza: los sabuesos son blancos con orejas rojas, una clara señal de que pertenecen a un cazador del otro mundo. La segunda mitad de la historia también comparte las antiguas ideas celtas sobre el otro mundo: una posición en una peligrosa colina que permite ver cosas que de otra manera no se verían; un misterioso caballo y jinete que no pueden ser alcanzados; y un niño milagroso que muestra un crecimiento precoz y una fuerza prodigiosa.*

Los lectores de las Crónicas de Prydain *de Lloyd Alexander reconocerán esta historia como la fuente de los nombres Arawn y Annuvin (deletreado Annwfn en el galés original). En el relato de Alexander, Arawn es un malvado señor oscuro y Annuvin su temible dominio. En este cuento, sin embargo, a Arawn no se lo pinta como un villano, y aunque el Annwfn del Mabinogion está definitivamente en el otro mundo, no es un lugar oscuro o prohibitivo en absoluto. Alexander también alteró los personajes de Pwyll y Pryderi para adaptarlos a sus propias historias que, aunque se basan en el* Mabinogion, *no son relatos de esos antiguos cuentos.*

Una vez hubo un príncipe de Dyfed, y su nombre era Pwyll. Nada le gustaba más a Pwyll que ir de caza, así que una mañana él y sus compañeros montaron sus caballos y llevaron sus sabuesos al campo, donde esperaban atrapar un buen ciervo. No llevaban mucho tiempo cazando cuando Pwyll y sus sabuesos se separaron de sus amigos. Mientras Pwyll observaba a su alrededor tratando de encontrar dónde habían ido los otros, escuchó el grito de los sabuesos, pero no era el grito de su propia manada. Pwyll cabalgó hacia un claro, donde vio a otra manada de sabuesos persiguiendo a un ciervo.

Pwyll nunca había visto perros como estos antes. Sus pelajes eran blancos como la nieve, pero sus orejas eran rojas como la sangre. Antes de que Pwyll pudiera llamar a sus propios sabuesos, la otra manada atacó a un ciervo y lo derribó. Pwyll ahuyentó a los perros extraños y permitió que su propia manada se comiera el cadáver.

Mientras los perros de Pwyll comían, un hombre llegó cabalgando un caballo gris moteado. Llevaba un cuerno de caza en una fina cadena, y sus ropas eran todas de un suave color gris. El jinete dijo—Señor, lo reconozco, pero no lo saludaré.

Pwyll respondió—Quizás tengas un rango que no requiera que me saludes.

—No—dijo el jinete—no es el rango lo que me lo impide, sino tu propia y grave descortesía.

—¿Qué descortesía he cometido? — preguntó Pwyll.

—Nada más que ahuyentar a la manada que derribó al ciervo, solo para alimentar a tus propios sabuesos—dijo el jinete—. Sin embargo, no pretendo vengarme de ti por ello. Más bien haré sonar tu vergüenza por toda la tierra, incluso por el valor de cien ciervos.

Entonces Pwyll dijo—Si he sido descortés, entonces lo arreglaré. Lo haré según tu posición, pero primero debo saber tu nombre y dónde está tu país.

—En mi país, soy un rey—dijo el jinete.

—Milord, te saludo y te deseo un buen día—dijo Pwyll—. ¿Cuál es el nombre de tu país?

—Vengo de Annwfn—dijo el jinete—y mi nombre es Arawn, rey de Annwfn.

—Milord—dijo Pwyll— ¿cómo voy a arreglar las cosas entre nosotros?

—Te lo diré—dijo el jinete—. Hay otro rey en Annwfn, y su nombre es Hafgan. Pelea continuamente conmigo. Deseo que no me acose más. Si quieres ganarte mi amistad, debes librarme de él.

—Lo haré con gusto—dijo Pwyll—si me dices cómo hacerlo.

Arawn dijo—Vendrás a mi palacio en Annwfn, y por el espacio de un año llevarás mi cara y mi forma para que ninguno de mis cortesanos pueda notar la diferencia entre nosotros. Compartirás la cama con mi propia esposa, y ella no sabrá que no eres yo. Esto lo harás por el espacio de un año, y al final de ese tiempo nos encontraremos de nuevo en este lugar.

—No entiendo cómo esto acabará con tu enemigo—dijo Pwyll—. Tampoco conozco a este Hafgan; ¿cómo lo encontraré para poder librarte de él?

—Tengo un acuerdo para encontrarme con él en el vado dentro de un año a partir de esta noche. Si vas allí en mi lugar, en mi forma, le darás un golpe. Morirá con eso. Pero no debes darle más de uno, por mucho que te lo pida. Porque cada vez que me he enfrentado a él, y sin importar cuántas veces lo golpeara, siempre era tan fuerte como antes.

—Haré lo que me pidas—dijo Pwyll—pero ¿qué será de mis propias tierras mientras no esté?

–Asumiré tu forma de la misma manera que tú asumirás la mía, y nadie en tus tierras notará la diferencia–dijo Arawn.

–Acepto estos términos con gusto–dijo Pwyll–. Solo tienes que mostrarme el camino a tu corte.

Arawn entonces le mostró el camino a su palacio. Le dijo a Pwyll que fuera directamente a la corte, y que se comportara como si perteneciera allí, ya que nadie debería poder decir que no era Arawn.

Cuando Pwyll llegó, vio que la corte de Arawn era en efecto un buen lugar. El palacio estaba hecho de piedra bien labrada, y los salones y cámaras estaban revestidos con tapices y madera tallada. Pwyll fue recibido calurosamente por muchos sirvientes, que le ayudaron a cambiarse de ropa para prepararlo para el banquete. Entonces Pwyll entró en el salón, y se maravilló de los muchos guerreros reunidos allí, cada uno de ellos obviamente un campeón.

Pwyll se sentó a la mesa, con la reina a su derecha y un hombre que suponía que era un conde a su izquierda. La reina era la mujer más hermosa que había visto, y después de una pequeña charla con ella, Pwyll vio que también era la más gentil. La noche pasó con mucho placer, y pronto fue hora de ir a la cama. La reina y Pwyll subieron juntos a su habitación, y cuando subieron a la cama, Pwyll le dio la espalda y no dijo ni una palabra más hasta la mañana, y así durmieron juntos por el espacio de un año.

Durante todo ese año, Pwyll pasó su tiempo felizmente cazando y dándose festines con sus nuevos compañeros, hasta que llegó el momento de ir al vado para la reunión a la que había prometido asistir. Fue al vado acompañado por una banda de sus nobles. Llegaron a encontrar a Hafgan allí ante ellos, con su propio séquito de guerreros escogidos, y así como en la corte de Annwfn, nadie podía decir que Pwyll no era Arawn.

Uno de los nobles de Arawn se acercó y dijo–Esta es una disputa entre reyes, sobre tierras y dominios. La disputa es entre ellos y solo ellos. Nadie debe interferir en su lucha.

Entonces Hafgan y Pwyll tomaron sus espadas y escudos. Montaron sus corceles y avanzaron hacia el vado. En el primer choque de armas, Pwyll partió en dos el escudo de Hafgan con un golpe tan poderoso que rompió la armadura de Hafgan y lo mandó tambaleándose sobre el crupier de su caballo y al río, y Hafgan supo que había recibido su golpe mortal.

Hafgan se arrodilló y dijo—: Milord, ¿con qué derecho me das un golpe mortal? No te reclamé nada: tú empezaste esta disputa para quitarme tierras. No sé por qué crees que debo morir aquí en el vado, pero ya que has empezado ese camino, puedes terminarlo. ¡Mátame ahora!

—Milord—respondió Pwyll—aún puedo arrepentirme de lo que te he hecho. Pero no te mataré. Debes encontrar a alguien más para que lo haga.

Hafgan se volvió hacia sus nobles y dijo—Llévenme lejos de aquí. Pronto moriré. No seré más su rey.

Pwyll dijo a los nobles de Hafgan— Les doy tiempo para que se asesoren para ver quién de ustedes me debe ahora lealtad.

Los nobles de Hafgan respondieron que todos ellos eran ahora vasallos de Arawn, y que Arawn era ahora el único rey en Annwfn. Pwyll recibió entonces su lealtad y se puso a trabajar para ordenar el reino de Annwfn.

Después de esto, Pwyll se dirigió al lugar de reunión con Arawn, y encontró a Arawn allí ante él. Los dos hombres se saludaron cordialmente.

Arawn dijo—Que Dios te bendiga bien por todo lo que has hecho, porque he oído todo sobre ello.

Entonces Arawn volvió a su propia forma, e hizo lo mismo con Pwyll. Entonces los dos hombres se despidieron el uno del otro y se fueron a sus propios hogares.

Cuando Arawn regresó a su propia corte, saludó a todos muy cordialmente, porque los había extrañado mientras estaba fuera.

Todos comentaron lo amable que era Arawn, ya que no sabían que había estado en otro lugar. Esa noche hubo un gran banquete, y cuando llegó la hora de irse a la cama Arawn fue muy cariñoso con su esposa, y feliz le hizo el amor. Ella se preguntó qué había pasado para que cambiara tanto su estado de ánimo, ya que no la había tocado durante todo un año.

Ella pensó mucho tiempo sobre esto. Cuando Arawn se despertó, le habló, pero ella no le respondió. Hizo esto muchas veces, pero cada vez su esposa permaneció en silencio.

—Esposa—dijo Arawn— ¿por qué no me hablas?

—Es porque durante todo un año no me has dicho ni una palabra cuando hemos estado en esta cama.

—Pero siempre hemos hablado aquí juntos—dijo Arawn.

—Esposo, te digo que durante todo un año no me has dicho ni una palabra cuando hemos estado juntos en la cama, ni me has tocado ni me has mirado.

Arawn pensó en lo firme y fiel que había sido Pwyll para él, y se mostró agradecido. Entonces se volvió hacia su esposa y le dijo— Milady, no te culpo por tu enojo. Pero debo decirte que por el espacio de ese año no fui yo quien compartió esta cama contigo. —y luego le contó toda la historia; ella también se maravilló de lo fiel que había sido Pwyll.

Ahora, mientras Arawn disfrutaba de su regreso a casa, Pwyll también regresó a su propio reino. Preguntó a sus nobles lo bien que pensaban que los había gobernado durante el último año, y a un hombre con el que coincidieron que nunca habían visto el reino tan bien ordenado. Entonces Pwyll les contó toda la historia, diciendo que debían agradecer a Arawn por su diligencia. Los nobles estuvieron de acuerdo en que Arawn había demostrado ser un buen amigo para Pwyll. Pero entonces dijeron—Seguramente seguirás gobernando de la misma manera que Arawn lo hizo. —Pwyll juró que lo haría.

Pwyll y Arawn continuaron siendo amigos. Se visitaban mutuamente en sus cortes y salían de caza juntos, y de vez en cuando intercambiaban regalos de sabuesos, caballos o armas, o de otras cosas que pensaban que podrían ser un buen regalo para el otro. Y como Pwyll había gobernado tan fielmente en lugar de Arawn, ya no se le llamaba príncipe de Dyfed, sino Pwyll Pen Annwfn.

Llegó un momento en que Pwyll fue a visitar su corte en Arberth. La corte celebró un gran banquete en su honor, y después de haber comido y bebido Pwyll fue a estirar las piernas. Se dirigió a un montículo que estaba situado cerca de la corte, y este lugar se llamaba Gorsedd Arberth. Uno de sus nobles vio por dónde iba y dijo—: Milord, no le aconsejo que camine sobre ese montículo, porque se dice que si un noble lo sube no volverá a bajar a menos que esté herido o haya visto alguna maravilla.

—No temo ser herido—dijo Pwyll—porque seguramente estoy a salvo aquí entre un séquito de tantos campeones, y la vista de una maravilla sería muy bienvenida.

Pwyll subió al montículo, y algunos de sus nobles fueron con él. Cuando llegaron a la cima, se sentaron. Muy pronto, vieron a una doncella acercándose. Estaba vestida con la seda más fina bordada con hilo de oro, y montaba un caballo blanco como la leche.

—¿Alguien reconoce a esa mujer? – preguntó Pwyll.

Todos los nobles dijeron que no la conocían.

—Alguien debe ir y averiguar quién es—dijo Pwyll.

Uno de los nobles bajó corriendo la colina, pero la mujer ya había pasado, y no importaba lo rápido que corriera el hombre, no podía alcanzarla. El noble regresó a Pwyll y dijo—Milord, nadie podrá alcanzarla a pie.

—Ve a buscar el caballo más rápido del establo—instruyó Pwyll—. Síguela y averigua quién es.

El noble hizo lo que le pidió Pwyll. Tomó el caballo más rápido del establo y galopó tras la mujer. El caballo de la mujer parecía ir a un ritmo fácil, pero no importaba lo rápido que cabalgara el noble, no podía acercarse más a ella que cuando la vio por primera vez en el camino. Pronto su caballo se cansó, y tuvo que dar la vuelta. Fue a ver a Pwyll y le contó lo que había pasado.

—Ya veo—dijo Pwyll—. Hay algo mágico en marcha aquí. No podemos hacer nada más por ahora.

Entonces él y sus nobles volvieron a la corte, donde pasaron el resto del día.

Al día siguiente hubo otro banquete. Pwyll volvió a salir hacia el montículo después de haber comido y bebido, pero esta vez se llevó un caballo rápido y un sirviente para montarlo. Apenas habían llegado a la cima del montículo cuando vieron a la dama del caballo blanco acercándose por la carretera, como había ocurrido el día anterior.

Pwyll le dijo al sirviente— ¡Rápido! Monta, y ve tras ella. Averigua quién es y dónde vive.

Para cuando el muchacho estaba montado y en la senda, la dama ya había pasado. El criado espoleó a su caballo para alcanzarla, pero por más rápido que galopara no pudo acercarse más, aunque el galope de la dama parecía ir a paso ligero. El sirviente intentó frenar su caballo, para ver si podía alcanzarla si seguía su ritmo, pero esto tampoco sirvió de nada. Intentó una vez más cabalgar duro tras ella, pero no pudo alcanzarla, y ella nunca varió su velocidad. El sirviente regresó a la corte y le dijo a Pwyll lo que había pasado. Pwyll se dio cuenta de que no servía de nada tratar de perseguirla, aunque estaba convencido de que ella tenía un mensaje que entregar si tan solo alguien podía hablar con ella.

Esa noche y el día siguiente pasaron de la misma manera que los anteriores, y al final del festín del día Pwyll regresó al montículo con acompañado de sus nobles. Pero esta vez trajo su propio caballo y usó sus propias espuelas. Muy pronto, vieron a la dama acercándose en su caballo. Pwyll montó mientras ella pasaba a caballo. Galopó tras ella, pensando que seguramente podría alcanzarla, ya que ningún caballo en la tierra podría igualar al suyo en cuanto a velocidad. Pero no era diferente para él que para cualquiera de los otros que lo habían intentado: por más que él cabalgara, ella siempre se mantenía a la misma distancia, yendo al mismo paso facil.

Finalmente Pwyll gritó– ¡Milady! Por el bien de tu propia amado, te ruego que me esperes.

–Lo haré con gusto–dijo la mujer–pero tu caballo lo hubiera preferido si me lo hubieras pedido antes.

La dama esperó a Pwyll, y cuando él se acercó, ella retiró el velo que había estado cubriendo su cara.

–Milady–dijo Pwyll– ¿de dónde eres y a dónde vas?

–Voy a donde quiero, por mis propios asuntos–respondió ella–. Y estoy muy contenta de hablar con usted.

–También estoy agradecido de que hable conmigo–dijo Pwyll, y vio que era más hermosa que cualquier mujer que hubiera visto antes.

–Milady–dijo Pwyll– ¿puedo saber en qué asunto está usted?

–Por supuesto–respondió ella–. Mi negocio es hablar con usted.

–Seguramente ese es el mejor negocio que usted podría emprender–dijo Pwyll–. Si le complace, ¿puedo saber su nombre?

–Soy Rhiannon, hija de Hyfaidd Hen. Mi padre desea que me case con un hombre de su elección. Pero yo no deseo ese matrimonio, por el amor que siento por usted. No me casaré con otro, a menos que usted diga que no me quiere. Pero por eso he ido a caballo por el montículo estos últimos días: para saber si nos casaremos o no.

Pwyll respondió–Juro solemnemente que si me dieran todas las mujeres del mundo para elegir, solo le elegiría a usted para ser mi novia.

–Estoy muy contenta–dijo Rhiannon–. Entonces debe concertar una cita conmigo antes de que me case con otro.

—Me reuniré con usted en el momento y lugar que elija—dijo Pwyll.

—Muy bien—dijo Rhiannon—. Reúnase conmigo en la corte de Hyfaidd, dentro de un año a partir de esta noche. Tendré un banquete preparado para usted cuando venga.

Pwyll aceptó el plan de Rhiannon. Luego se despidieron y Pwyll regresó al montículo donde encontró a sus nobles esperándolo. Le preguntaron muchas veces qué había pasado mientras estaba fuera, pero no respondió.

Cuando llegó el momento de su encuentro con Rhiannon, Pwyll llamó a un séquito de noventa y nueve nobles. Fueron a la corte de Hyfaidd donde fueron muy bienvenidos. En el banquete, Pwyll se sentó con Hyfaidd a un lado y Rhiannon al otro, y el resto de la compañía se sentó de acuerdo a sus puestos. Comieron y bebieron y se divirtieron mucho, y mientras se divertían, un joven alto con pelo castaño entró en el salón. Se acercó a Pwyll y le saludó bien.

—Eres bienvenido, amigo—dijo Pwyll—. Ven, siéntate, y te traeremos carne y bebida.

—Te agradezco, pero no me sentaré—dijo el joven—. Porque he venido a pedirte un favor.

—Tienes mi permiso para pedirlo—dijo Pwyll—y todo lo que pueda hacer por ti, lo haré o veré que se haga.

Rhiannon se volvió hacia Pwyll alarmada—. ¡No deberías haber dado tu palabra tan libremente! dijo ella.

—Es demasiado tarde, milady—dijo el joven—porque su palabra se ha dado ahora, y en presencia de testigos.

—Haz tu petición—reclamó Pwyll.

—Estás aquí esta noche para casarte con la mujer que más amo—dijo el joven—y por lo tanto pido que se convierta en mi novia, y que este banquete ante ti esta noche se convierta en mi fiesta de bodas.

En esto Pwyll no dijo nada.

—Mantener la paz no te sirve de nada—dijo Rhiannon—. Nunca hubo un hombre más temerario que tú esta noche, porque éste es el hombre con el que mi padre quería que me casara en contra de mi voluntad.

—Milady, le pido perdón—dijo Pwyll—porque no sabía quién era él.

—Es Gwawl, hijo de Clud, un noble con un gran séquito. Y ahora debes entregarme a él, porque has dado tu palabra de que lo harás.

—Milady, nunca podría entregarla a otro hombre—contestó Pwyll.

—Debes hacerlo. Pero no temas: nunca me tendrá si haces lo que te digo—dijo Rhiannon.

—¿Qué debo hacer? – preguntóo Pwyll.

Entonces Rhiannon le susurró a Pwyll su plan para liberarse de Gwawl. Rhiannon le dio a Pwyll una pequeña bolsa y le dijo que debía venir al banquete que ella haría para Gwawl dentro de un año, pero que Pwyll debía disfrazarse de mendigo. Debería pedirle a Gwawl que llenara la bolsa con comida y que se iría cuando la bolsa estuviera llena. Excepto que la bolsa era mágica: no importaba cuánta comida se pusiera en ella, solo estaría medio llena a menos que un hombre de la más alta calidad se metiera dentro y pisoteara la comida. Seguramente Gwawl querría probar su calidad y se metería dentro de la bolsa. Entonces Pwyll podría cerrar bien la bolsa con Gwawl dentro, y estaría en poder de Pwyll. Una vez que Gwawl fuera prisionero de Pwyll, él podría convocar a sus guerreros para invadir la corte y someter al séquito de Gwawl.

Mientras Rhiannon le hablaba a Pwyll, Gwawl se impacientó—. Milord, has dado tu palabra y espero que la cumplas.

Pwyll dijo—: Te concederé tu petición en la medida en que tenga poder para hacerlo.

Entonces Rhiannon le dijo a Gwawl—: Me tendrás a mí, pero el banquete no lo da Pwyll. Ya se lo he dado a él y a su séquito. Vuelve dentro de un año y te prepararé un banquete y nos casaremos en ese momento.

Gwawl aceptó estos términos y se fue de la corte de Hyfaidd.

En la fechara indicada, Rhiannon preparó un banquete para Gwawl y su séquito. Pwyll también se preparó. Se disfrazó con ropa sucia y harapienta y usó botas con agujeros. Se llevó su propio séquito de noventa y nueve guerreros, todos armados y listos para la batalla. Los guerreros se escondieron en el bosque fuera de la corte de Hyfaidd, mientras él mismo cojeaba hasta la puerta. Fingiendo ser un mendigo, Pwyll fue a la puerta de la corte y se le permitió entrar, ya que era la costumbre allí que ningún mendigo fuera rechazado. Pwyll entró en el salón donde Gwawl estaba sentado con Rhiannon a su derecha e Hyfaidd a su izquierda.

Gwawl vio al mendigo acercarse y le dijo—: Bienvenido a ti. ¿Qué es lo que quieres?

—Vengo a mendigar comida, milord—dijo Pwyll—comida para llenar mi pequeña bolsa, aquí.

Gwawl ordenó a sus sirvientes que le dieran comida al mendigo, pensando que una bolsa tan pequeña se llenaría rápidamente y se libraría de esta plaga. Pero no importaba cuántos panes o carne pusieran los sirvientes en la bolsa, nunca se llenaba.

—¿Por qué tarda tanto? – preguntó Gwawl—. ¿Por qué no está llena la bolsa todavía?

—Milord—respondió Pwyll—solo se llenará si un noble de la más alta calidad interviene y aplasta lo que ya está dentro.

Rhiannon le dijo a Gwawl—: Eres un hombre muy noble. Nadie más aquí podría hacer esa acción, estoy segura de ello.

Deseando probarse a sí mismo a Rhiannon y a la corte, Gwawl dijo—: Con gusto lo haré.

Gwawl entonces se subió sobre la bolsa. Rápidamente, Pwyll sacudió la bolsa y le dio la vuelta para que Gwawl se pusiera de cabeza. Luego Pwyll apretó los cordones y los ató para que Gwawl no pudiera escapar. Pwyll se quitó los harapos y sacó su cuerno de caza, que había escondido en su ropa de mendigo, y sopló sobre él una poderosa explosión. Los guerreros que estaban escondidos en los árboles entraron corriendo a la corte a la señal de Pwyll. Sometieron al séquito de Gwawl y los hicieron prisioneros. Una vez hecho esto, cada uno de los guerreros de Pwyll se acercó a la bolsa y le dio un golpe, preguntando– ¿Qué está ahí?

Desde el interior de la bolsa Gwawl dijo–Milord, seguramente no es apropiado que me mates de esta manera, mientras estoy atado dentro de una bolsa y no puedo defenderme.

Hyfaidd Hen comentó–Seguramente lo que dice es verdad. Es un noble, y esto no es apropiado.

–Sí, estoy de acuerdo–dijo Pwyll–. Entonces, ¿qué hay que hacer con él?

–Sé lo que hay que hacer, si me escuchas–le dijo Rhiannon a Pwyll–. Ahora tienes el poder en este tribunal. Ahora te corresponde a ti conceder los favores aquí. Haz que Gwawl haga regalos a todos los que están aquí, y hazle prometer que no buscará reclamar ni vengarse de ti por lo que ha pasado hoy aquí.

–Acepto esos términos con gusto–dijo Gwawl, aún dentro de la bolsa.

–Es un buen consejo, y también acepto–acordó Pwyll–si se pueden encontrar garantes para Gwawl.

–Yo lo avalaré–dijo Hyfaidd–hasta que sus nobles puedan hacerlo por él.

En ese momento, Gwawl salió de la bolsa. Cuando los nobles que avalaban a Gwawl también fueron liberados, y cuando acordaron actuar en nombre de Gwawl según fuera necesario, se le dio permiso a Gwawl para retirarse y bañarse y curar sus heridas antes de partir a sus propias tierras.

Entonces se preparó una vez más la sala de Hyfaidd para un festín, esta vez para celebrar la boda de Rhiannon y Pwyll, y cuando el festín terminó Rhiannon y Pwyll fueron a su cámara, y allí se deleitaron el uno al otro y se convirtieron en marido y mujer. Al día siguiente,

Pwyll y Rhiannon se levantaron temprano. Pwyll fue a la corte, donde escuchó las plegarias de los suplicantes y músicos. Les dio todo lo que pidieron, y nadie se fue insatisfecho.

Cuando esto terminó, Pwyll fue a ver a Hyfaidd y le dijo—Quiero salir para Dyfed mañana, con tu bendición.

Hyfaidd respondió—Esto está bien. Dime cuándo Rhiannon te va a seguir.

—Milord—dijo Pwyll—Deseo que ella venga conmigo cuando me vaya.

Hyfaidd estuvo de acuerdo con esto, y por la mañana Pwyll y Rhiannon fueron a Dyfed. Se detuvieron en la corte de Pwyll en Arberth, donde encontraron un festín esperándolos. Todos los nobles de Dyfed se reunieron allí, para celebrar el matrimonio de Pwyll y Rhiannon. A todos y cada uno, Rhiannon les dio un precioso regalo, de acuerdo a su posición. Durante tres años después, los nobles se contentaron con el reinado de Pwyll y su novia, pero al final de ese tiempo se inquietaron, porque Pwyll aún no tenía un heredero.

Los nobles se presentaron ante Pwyll y le dijeron—Milord, le aconsejamos que tome otra esposa, para que pueda tener un hijo. No puede seguir gobernándonos si no puede tener un heredero.

Pwyll respondió—Escucho sus palabras. Les ruego que nos de otro año, y si al final de ese tiempo no tengo heredero, haré lo que me pidan.

Los nobles aceptaron la petición de Pwyll. Antes de que terminara el año, Rhiannon se encontró embarazada. Cuando llegó su momento, nació un buen niño. Las mujeres estaban dispuestas a cuidar de la madre y el niño después del nacimiento, pero una tras una las mujeres se fueron durmiendo, al igual que la propia Rhiannon. Cuando las mujeres se despertaron, descubrieron que el bebé había desaparecido.

—¿Qué haremos? – exclamó una mujer—. Seguramente nos matarán a todas por esto.

Las otras estuvieron de acuerdo en que era probable.

Luego otra mujer dijo—: Sé lo que debemos hacer. En las calles hay un sabueso que ha tenido una camada de cachorros. Tomen algunos de los cachorros y mátenlos. Unten la sangre en la cara y las manos de la reina y pongan los huesos en la cama con ella. Entonces todos juraremos que ella misma mató al niño.

Las mujeres estuvieron de acuerdo en que era un buen plan, y se hizo así. Cuando Rhiannon se despertó, preguntó dónde había ido su hijo.

—No nos pregunte, milady—dijeron las mujeres—. Solo tiene que mirar a su alrededor para ver qué fue de él. Solo tiene que mirar los moretones de nuestros brazos para ver cómo tuvimos que luchar contra usted, y aun así fue capaz de destruir a su hijo.

Rhiannon miró a las mujeres y dijo—: No deben decir mentiras sobre mí. No puedo protegerles si no me dicen la verdad.

Las mujeres juraron que eran sinceras. Rhiannon las instó una y otra vez a no decir mentiras, pero las mujeres juraron cada vez que decían la verdad.

Muy pronto la historia de las mujeres llegó a oídos de Pwyll y sus nobles. Los nobles insistieron en que Pwyll se divorciara de Rhiannon y tomara otra esposa. Pero Pwyll se negó, diciendo—: Necesito divorciarme de mi esposa solo si es estéril, y no lo es. Tengo un heredero. Pero si mi esposa ha hecho algo malo, entonces debe ser castigada.

Rhiannon se asesoró con sus consejeros, y pronto se decidió que era mejor para ella aceptar cualquier castigo que se le diera. Y este fue su castigo: que durante siete años se sentaría en la puerta del tribunal de Arberth y contaría su historia a quien se la pidiera, y que luego se ofrecería a llevarlos al tribunal a cuestas. Muy pocos le pidieron que los llevara. Y de esta forma Rhiannon pasó parte de un año.

Fue en esta época que el lord de Gwent Is Coed era un hombre llamado Teyrnon Twrf Liant. Teyrnon poseía la mejor yegua de todo el país, y cada potro que producía era el mejor que se podía encontrar en cualquier lugar. Siempre paría en la víspera de mayo, pero por la mañana el potro desaparecía. Teyrnon y su esposa no sabían qué hacer al respecto, porque cada vez que la yegua daba a luz, por la mañana el potrillo desaparecía.

Una víspera de mayo, Teyrnon le dijo a su esposa—Por Dios, seguramente descubriré lo que le pasa a esos potros. —así que se armó e hizo que trajeran a la yegua a la casa donde podría cuidarla. Cuando cayó la noche, la yegua dejó caer un fino y negro potro. Era una pequeña y robusta cosa, y se puso de pie inmediatamente.

Tan pronto como el potro se levantó, un largo brazo negro atravesó la ventana y agarró al potro por la crin. Teyrnon sacó su espada y le golpeó en el brazo, cortándole por el codo. Un terrible grito sonó desde afuera, y otro ruido que Teyrnon no pudo identificar. Corrió a la puerta para averiguar cuál era el ruido, y allí, en el escalón, encontró a un niño de pelo dorado, envuelto fuertemente en pañales de seda ricamente bordados.

Teyrnon recogió al niño y se lo llevó a su esposa—. Esposa mía, despierta. Porque aquí tengo un hijo para ti, si lo quieres.

Entonces Teyrnon le contó toda la historia. Cuando terminó, ella miró al niño y vio cómo estaba vestido—. Seguro que es el hijo de algún noble—dijo—. Si vamos a quedarnos con él, primero debemos enviar la noticia de que yo estaba embarazada, y hacer que nuestras sirvientas digan lo mismo.

Teyrnon estuvo de acuerdo, y se hizo como dijo su esposa. Se llevaron al niño a su casa y lo criaron como si fuera suyo. Lo bautizaron y lo llamaron Gwri Wallt Euryn, porque tenía el pelo dorado. El niño creció rápido y saludable, y para cuando tenía un año ya tenía el crecimiento y la fuerza de un niño de tres años. Al final de su segundo año, era tan grande y fuerte como un niño de seis años. A los cuatro años, deseaba que se le permitiera trabajar en los establos y cuidar de los caballos.

Un día, la esposa de Teyrnon se acercó a él y le preguntó qué había pasado con el potro que nació la noche en que encontraron a su hijo.

—Le dije a los cuidadores del establo que lo cuidaran—respondió Teyrnon.

—Tal vez sea hora de que lo entrenen y se lo den a nuestro hijo—dijo su esposa.

Teyrnon estuvo de acuerdo, así que el caballo fue entrenado para llevar un jinete y se lo dieron a Gwri para que lo cuidara.

Poco después de esto, llegó a la corte de Teyrnon la noticia de lo que le había pasado a Rhiannon y su castigo. Él escuchó los cuentos con atención y sintió lástima por la mujer. También miró muy de cerca a Gwri y se dio cuenta de que el chico se parecía a Pwyll en todos los aspectos. Teyrnon conocía a Pwyll de vista, ya que por una vez Pwyll le debía lealtad.

Teyrnon se dio cuenta de que no podía quedarse con el chico por derecho, y esto le apenó, ya que amaba mucho a Gwri. Pero sabía que el niño debía ser devuelto a sus legítimos padres, y que Rhiannon debía ser liberada de su injusto castigo, así que fue a su esposa y le dijo lo que pretendía hacer. La esposa de Teyrnon escuchó todo lo que su marido decía y estuvo de acuerdo en que llevar a Gwri a la corte de Pwyll era lo correcto.

Al día siguiente, Teyrnon y Gwri salieron hacia la corte de Pwyll con dos nobles compañeros. Cuando llegaron a la puerta, Rhiannon se levantó y dijo—: Quédense, porque es mi castigo por haber matado a mi propio hijo que debo llevar a cada uno de ustedes de espaldas a la corte.

—No, señora—dijo Teyrnon—eso no lo harás, ni por mí, ni por nadie que esté conmigo.

Gwri también dijo que no dejaría que Rhiannon lo llevara, y los nobles dijeron lo mismo. Teyrnon, Gwri y sus compañeros fueron a la corte de Pwyll, y se les dio una cálida bienvenida. Pwyll ordenó que se preparara un festín para ellos, y cuando las mesas estuvieron listas Teyrnon se sentó entre Pwyll y Rhiannon, y sus dos nobles delante de ellos con el chico Gwri entre ellos.

Cuando el banquete terminó, Teyrnon contó su historia sobre el potro y sobre el niño. Explicó cómo había llevado al niño a un hogar de acogida y cómo él y su esposa lo habían criado como si fuera suyo.

—Pero cuando oímos la historia del castigo de Rhiannon—continuó Teyrnon—nos entristecimos mucho por ello. Entonces nos dimos cuenta de que nuestro Gwri debía ser su hijo. Si mira al chico, está claro que no puede ser hijo de nadie más que de Pwyll. Ahora se lo devolvemos a ustedes, sus legítimos padres.

—Cómo se aligerarían mis preocupaciones si lo que dices es verdad—dijo Rhiannon.

Y todos los nobles de la corte miraron al niño y a Pwyll, y todos estuvieron de acuerdo en que el niño debía ser el hijo de Pwyll.

—¿Y cómo se llama? – preguntó uno de los nobles de Pwyll.

—Lo llamamos Gwri Wallt Euryn, pero pueden ponerle el nombre que quieran—respondió Teyrnon.

—Pryderi será su nombre—dijo Pwyll—porque ese nombre significa "cuidado", y esto fue lo primero que su madre dijo de él al conocerlo.

Rhiannon, Pwyll y los nobles estuvieron de acuerdo en que era un buen nombre para el chico, y así fue conocido como Pryderi hijo de Pwyll Pen Annwfn para siempre.

Entonces Pwyll se volvió hacia Teyrnon y le dijo—Por Dios, no sé cómo compensarle por la buena educación que le ha dado a nuestro hijo. Pero cuando crezca, seguramente se lo pagará de una manera adecuada.

—Mylord—respondió Teyrnon—debe saber que nadie se aflige por la pérdida del niño como mi esposa, que lo ama como una madre. Debe recordarla así; ese es mi deseo.

Pwyll prometió entonces que Pryderi nunca olvidaría a Teyrnon y a su esposa, ni los cuidados que le habían dado cuando era un niño. Y Pwyll prometió aliarse con Teyrnon y sus dominios, y que Pryderi haría lo mismo después de él. Entonces el niño fue entregado al noble Pendaran Dyfed para que lo acogiera, pero Pwyll también hizo que Teyrnon y sus nobles fueran padres adoptivos.

Cuando llegó el momento de que Teyrnon y sus compañeros se fueran, Pwyll y Rhiannon le ofrecieron a Teyrnon muchos regalos finos de oro y plata y joyas costosas, y de los mejores caballos que tenían. Pero Teyrnon no aceptó ninguno de ellos, y se fue de la corte de Pwyll muy contento de todos modos.

Y así Pryderi fue criado en la corte de Pwyll Pen Annwfn, y pronto no había nadie en toda la tierra que se le pareciera por su buena apariencia o su fuerza de cuerpo o sus acciones. Y cuando Pwyll envejeció y murió, Pryderi se convirtió en el príncipe de Dyfed, y conquistó los tres cantones, o condados, de Ystrad Tywi y los cuatro cantones de Ceredigion. Pryderi se casó con una noble esposa, y juntos gobernaron sabiamente y sin problemas hasta el final de sus días.

La historia de Culhwch y Olwen

En su edición del Mabinogion*, Patrick Ford señala la importancia de los caballos en el nacimiento de Gwri/Pryderi en la historia de Pwyll de Dyfed, mientras que en la historia de Culhwch los animales involucrados son los cerdos. Ford rastrea estos respectivamente a la diosa celta de los caballos Epona y al dios jabalí Moccus. En el momento en que estas historias fueron escritas, estas deidades existen solo como meros ecos, en la asociación de caballos y cerdos con los nacimientos de los niños héroes. Moccus también parece estar representado en la historia de Culhwch por el monstruoso jabalí Twrch Trwyth, que debe ser cazado y destruido por el rey Arturo y sus compañeros.*

Es importante señalar que este no es el rey Arturo con el que estamos familiarizados hoy en día. El Arturo de este cuento es una manifestación anterior, que existe en el reino de los antiguos mitos y leyendas celtas. Solo más tarde fue adoptado como un rey-héroe cristianizado y figura literaria por la cultura de la corte medieval, que es la fuente más común para los recuentos modernos de las leyendas arturianas.

Una vez hubo un príncipe de Gales llamado Cilydd, hijo de Celyddon, y se casó con Goleuddydd, hija del príncipe Anlawdd. La gente de Cilydd se regocijó con este matrimonio, ya que era un muy buen partido, y rezaron para que pronto su príncipe pudiera tener un hijo y un heredero. No tuvieron que esperar mucho tiempo antes de que sus oraciones fueran respondidas: Goleuddydd pronto se encontró embarazada.

Sin embargo, no todo fue fácil con Goleuddydd. Se dio cuenta de que no podía soportar estar en casa, así que se fue a vagar por el campo, sin retornar nunca a su casa e incluso durmiendo bajo las estrellas o bajo los árboles. Cuando sintió que estaba cerca de la hora de su parto, buscó refugio. Allí, en la ladera de una montaña, encontró la morada de un porquero. Entró en la cabaña del porquero, pero la asustó tanto el encuentro con los cerdos que dio a luz inmediatamente. Llamó al niño Culhwch, que significa "lugar de los cerdos", porque allí es donde nació. El porquero reconoció a Goleuddydd, así que cuando ella estuvo lo suficientemente bien para viajar la devolvió con su bebé a la corte del príncipe Cilydd para que el niño pudiera ser criado entre su propia gente, ya que no solo Culhwch era hijo de Cilydd, sino que también era primo del propio rey Arturo.

Culhwch creció rápido y saludable, pero cuando todavía era un niño pequeño su madre se enfermó y murió. Cuando Goleuddydd estaba en su lecho de muerte, le dijo a Cilydd—: Sé que pronto desearás volver a casarte, pero me preocupa que tu nueva esposa intente desheredar a nuestro hijo, Culhwch. Te pido que no tomes otra esposa hasta que veas un brezo con dos flores sobre mi tumba. También te pido que cuides bien mi tumba y que no la descuides.

El Príncipe Cilydd prometió a Goleuddydd que haría todo lo que le pidiera, y después de que ella muriera y fuera enterrada nombró a un sirviente para que cuidara la tumba y la mantuviera libre de cualquier tipo de hierba o brezo. Durante siete años, el sirviente hizo bien su tarea, pero después de ese tiempo se cansó de la tarea, y así la tumba quedó desatendida.

Fue en esta época que el príncipe salió a cazar, y se propuso visitar la tumba de Goleuddydd para ver si podía haber algo creciendo sobre ella. Fue al lugar donde fue enterrada y vio que un brezo había empezado a crecer en medio de su tumba, y sobre ese brezo había dos flores. El príncipe regresó a su palacio y convocó a sus consejeros más sabios. Les preguntó si sabían de alguna mujer bien nacida que pudiera servir como nueva esposa.

—Sí—dijo uno—. La esposa del rey Doged lo haría admirablemente.

Cilydd estuvo de acuerdo en que era un buen consejo. Envió un grupo de sus guerreros más selectos a las tierras de Doged. Allí mataron a Doged y capturaron a su esposa e hija. También recorrieron los pueblos y aldeas de ese lugar y llevaron su botín de vuelta a los dominios de Cilydd. Cilydd se apoderó de las tierras de Doged y tomó a su viuda como su propia esposa, pero Cilydd no le dijo nada sobre Culhwch, ya que no había olvidado las últimas palabras de Goleuddydd sobre su hijo.

Un día, la nueva esposa de Cilydd fue a dar un paseo por el campo. Se encontró con una tosca cabaña, frente a la cual estaba sentada una anciana de pelo blanco y un solo diente en la boca. La esposa de Cilydd había oído hablar de esta mujer y sabía que tenía fama de ser adivina. La esposa de Cilydd también tenía muchas preguntas sobre su nuevo marido, preguntas que sabía que no sería prudente hacer en la corte. Por lo tanto, se acercó a la anciana y le dijo—: Dime, anciana, ¿cómo es que me he casado con un hombre sin hijos? ¿No tendré un heredero con él?

La anciana respondió—: Cilydd no es un hombre sin hijos, y tú tienes la seguridad de producir un heredero en tu propio cuerpo.

—Háblame de ese niño que tiene Cilydd—exigió la esposa, porque se sorprendió al saber que su marido lo mantenía en secreto.

—Cilydd tiene un hijo—dijo la anciana—y su nombre es Culhwch.

La esposa de Cilydd regresó a casa. Fue directamente a su marido y le exigió saber por qué le había estado ocultando su hijo. Al principio Cilydd trató de evadir sus preguntas, pero finalmente convocó a Culhwch y le presentó el niño a su nueva madrastra. Ella miró al niño de arriba a abajo y vio que era guapo y bien hecho en su cuerpo.

—Eres un chico muy guapo—dijo su madrastra—y deberías pensar en el matrimonio. Yo misma tengo una hermosa hija que sería una excelente esposa para ti.

Culhwch respondió—Puede que sea así, pero aún no estoy en edad de tomar una esposa.

Esto enfureció a su madrastra, y por eso pronunció una maldición sobre él—: Si no tomas a mi hija, nunca te casarás, excepto con Olwen, hija de Ysbaddaden Pencawr, ¡rey de los gigantes!

En esto, Culhwch sintió todo su cuerpo abrumado por el amor a Olwen, una mujer que nunca había conocido, y se prometió a sí mismo que la tomaría como esposa.

Cilydd vio que el muchacho se sonrojaba de forma extraña, y preguntó—: ¿Qué pasa, hijo mío? ¿Te has puesto enfermo?

—No—respondió Culhwch—pero he oído el destino que me predijo mi madrastra, y quiero ver si puedo tener la mano de Olwen, hija de Ysbaddaden Pencawr, en matrimonio.

Cilydd dijo—Eso no debería ser difícil para ti, ya que eres noblemente nacido y primo del propio rey Arturo. Deberías ir a la corte de Arturo y pedirle ayuda en este asunto. Arréglate, córtate el pelo y luego ve a hablar con Arturo.

A la mañana siguiente, Culhwch partió hacia la corte de Arturo. Montó un fino corcel gris, y su silla y su brida tenían incrustaciones con mucho oro. Culhwch estaba ricamente vestido y armado con una lanza y una espada como corresponde a un príncipe, y llevaba un fino cuerno de caza bañado con plata. Al lado de Culhwch corrían dos de los mejores sabuesos de caza, llevando collares de oro con incrustaciones de rubíes. Y la huella del monte de Culhwch era tan ligera que ni siquiera doblaba la hierba bajo sus pezuñas al llegar a la corte del rey Arturo.

Cuando Culhwch llegó a la corte del rey Arturo, encontró la puerta cerrada y enrejada.

—Déjame entrar—pidió Culhwch al centinela.

—No puedo—dijo el centinela—porque la fiesta ya ha comenzado, y es la ley de Arturo que no se permita la entrada a nadie, salvo a los que han sido especialmente invitados. Pero aquí fuera de la muralla hay una casa de huéspedes, donde hay comida y bebida en abundancia y una cama caliente apta incluso para un noble príncipe, y un establo para su caballo y sus perros. Puede pasar la noche aquí y buscar audiencia con Arturo por la mañana.

—No esperaré—dijo Culhwch—y si no abres la puerta, enviaré tres gritos. El primero se oirá en todo Gales. El segundo se oirá hasta en Irlanda. Y el tercero será tan fuerte y tan feroz que todas las mujeres de la tierra que ahora están embarazadas abortarán, y las que ahora son estériles permanecerán así para siempre.

—Grite como pueda—contestó el centinela—No puedo abrir esta puerta sin el permiso del rey. Le pido que espere mientras le pregunto qué debo hacer.

El centinela entró en el salón donde el rey Arturo estaba sentado a comer con su corte. El rey vio al centinela y le pidió que dijera lo que le había llevado a la sala.

—Hay un guerrero en la puerta—dijo el centinela—como nunca he visto, ni por vestimenta, ni armas, ni corceles, ni sabuesos, ni por la buena apariencia, ni por la fuerza de su cuerpo. Como bien sabe, he viajado a todas las tierras, a la India, a África, a Noruega y a Grecia, y a todos los lugares intermedios, y nunca he visto un joven como éste. Anhela una audiencia con Su Majestad, y dice que no esperará. Estoy aquí para preguntar si puedo admitirlo, a pesar de su ley.

Arturo respondió—Seguramente un hombre como este no debe ser hecho esperar. Renuncio a la ley de la sala de banquetes para este invitado especial. Pídele que entre, y dale la bienvenida.

Entonces Kai, uno de los caballeros del rey dijo—Si Su Majestad quiere, aconsejo que no admitamos a este hombre en nuestro banquete desafiando la ley.

Arturo respondió—: No puedo aceptar tu consejo, amigo mío, porque si rechazo la entrada de este guerrero, me avergonzaría a mí y a la corte.

Tan pronto como Arturo dijo esto, Culhwch entró en el salón de banquetes. Todos los que lo vieron se maravillaron, porque la descripción del centinela no le había hecho justicia. Arturo le dio una calurosa bienvenida a Culhwch, y le invitó a sentarse a la mesa, donde le llevarían carne y vino.

—No vengo al festín—dijo Culhwch—sino a pedirle ayuda a Su Majestad. Y si no me da su ayuda, será una gran vergüenza para usted y su corte.

—Todo lo que tengo para dar es tuyo—respondió Arturo—excepto mis armas, mi barco, mi capa y mi esposa.

—Primero deseo que me corte el pelo—dijo Culhwch.

Arturo pidió que se trajeran un peine y unas tijeras. Culhwch se sentó entonces ante el rey, y mientras Arturo peinaba y cortaba el pelo de Culhwch, dijo—Dime ahora quién eres, y háblame de tu familia.

—Soy Culhwch, hijo de Cilydd, hijo de Celyddon, y mi madre era Goleuddydd, hija del príncipe Anlawdd.

—¡Ah! – exclamó Arturo—. Entonces somos primos, seguramente. Doblemente bienvenido a mi corte, pariente. Ahora dígame qué es lo que requieres de mí.

—Deseo casarme con Olwen, hija de Ysbaddaden Pencawr, rey de los gigantes—dijo Culhwch—. Le ruego que me ayude a encontrarla y a hacerla mi novia.

Arturo admitió que no sabía quién podía ser esta joven. Tampoco ninguno de sus cortesanos la conocía, así que Arturo se comprometió a enviar mensajeros por todo su reino para ver dónde podría ser encontrada. Culhwch estuvo de acuerdo en que se hiciera así, y le dio a Arturo un año para encontrar a la chica.

Y así pasó el año, sin que ninguno de los mensajeros pudiera encontrar a Olwen o a su gente. Culhwch se presentó ante la corte y le dijo a Arturo—: No puedo esperar más. Si no puedes ayudarme, entonces debo continuar esta búsqueda yo solo.

—No es así—dijo Kai—porque iré contigo.

—Sí—dijo Arturo—. Es sabio que tomes a Kai como tu compañero. También enviaré a otros de mis mejores guerreros, para que siempre tengas la mejor ayuda.

Arturo llamó a Kai y a otros cinco para que fueran los compañeros de Culhwch. Cada uno de ellos era un guerrero temible, y cada uno tenía además otras cualidades y habilidades. Kai podía aguantar la respiración bajo el agua durante nueve días y nueve noches, y podía quedarse sin dormir por el mismo espacio. Si hería a alguien con su espada, esa herida nunca se curaría por muy bien cuidada que estuviera. Kai podía crecer hasta ser tan alto como un árbol, y con su cuerpo podía generar suficiente calor para que la lluvia no tocara lo que llevara, e incluso podía encender un fuego con ese calor.

El manco Bedevere también fue con Culhwch. Bedevere era el hombre más rápido del reino. Nadie podía igualarlo en velocidad, excepto Arturo y otro, un hombre llamado Drych Ail Cybdar. Aunque Bedevere tenía una sola mano, era tan mortal en batalla como tres hombres de dos manos, y su lanza era tan mortal que cualquier herida que se hiciera con ella sería nueve veces más grande que la de otro guerrero.

Cynddelig Cyfarwydd el guía también fue convocado para ir con Culhwch. Nadie conocía las tierras del reino de Arturo mejor que él, y ninguno era su rival para encontrar un camino a través de tierras desconocidas. El intérprete Gwyrhyr Gwstad Ieithoedd también formaba parte de la compañía, ya que hablaba todos los idiomas, y Gwalchmai mab Gwyar también se unió a ellos, ya que era el mejor jinete y el mejor luchador a pie. El último miembro de la compañía fue Menw hijo de Teirgwaedd, que podía lanzar un hechizo de invisibilidad sobre sí mismo y sus compañeros, para que los ojos hostiles no pudieran verlos.

Culhwch y sus compañeros salieron del castillo de Arturo y viajaron hasta llegar a una amplia llanura. En la llanura, a lo lejos, había un castillo como nunca habían visto. La llanura era tan amplia que les llevó tres días cruzarla. Cuando finalmente se acercaron al castillo, encontraron un enorme rebaño de ovejas entre ellos y el castillo. El pastor era un hombre enorme y temible, sentado en un montículo cerca de su rebaño, y a su lado había un perro ovejero gigante, tan grande como un caballo. Además, el pastor podía lanzar llamas de su boca a cualquiera que le disgustara, y había muchos árboles y arbustos carbonizados por todas partes.

Kai, Gwyrhyr y Menw decidieron entre ellos hablar con el pastor. Menw dijo que le echaría un hechizo para que pudieran hablar con él con seguridad. Los tres compañeros se acercaron al pastor—: Saludos—le dijeron—. Dinos, si quieres, quién eres y quién es el amo de ese castillo y de todas estas ovejas.

—Me llamo Custennin, y seguramente todos saben de quién es el castillo y de quiénes son estos rebaños—respondió el pastor—. Pertenecen a Ysbaddaden Pencawr, rey de los gigantes. ¿Por qué lo preguntan? ¿Qué quieren aquí?

—Somos mensajeros de la corte del rey Arturo—dijo Kai—y hemos venido a pedir la mano de Olwen en matrimonio para uno de nuestros compañeros.

—Oh—dijo el pastor—me compadezco de tu amigo y de todos tus compañeros, si realmente es tu misión. Muchos pretendientes han venido a esta tierra pidiendo la mano de Olwen, y ninguno ha salido vivo de aquí.

Culhwch agradeció al pastor lo que les había dicho, y le dio un anillo de oro como pago. El pastor trató de ponerse el anillo, pero no le cabía en sus enormes dedos, así que lo puso dentro del guante y se lo llevó a casa a su esposa. Cuando le dio el anillo, ella le dijo—: ¿Dónde encontraste tal cosa, esposo?

—Fui a la orilla a pescar, y allí encontré un hombre muerto en la playa. El anillo estaba en su mano, así que lo cogí.

—Una historia probable—dijo la esposa—. Muéstrame este fino cadáver que lleva hermosas joyas.

—No temas—dijo Custennin—. Lo verás pronto. De hecho, es probable que él y sus amigos vengan pronto a pedirnos hospitalidad para pasar la noche.

—¿Qué quieres decir? – preguntó la esposa.

—Quiero decir que es Culhwch, hijo de Cilydd hijo de Celyddon, cuya madre era Goleuddydd hija de Anlawdd, quien está aquí. Ha venido a pedir la mano de Olwen en matrimonio.

La esposa del pastor estaba feliz y triste por esta noticia. Estaba feliz, porque Culhwch era el hijo de su hermana, y triste porque sabía que nadie había regresado vivo del castillo de Ysbyddaden Pencawr. Pero no tuvo tiempo de pensar en esto, porque pronto escuchó los sonidos de Culhwch y sus compañeros acercándose. Salió corriendo a saludarlos y fue a abrazar a los compañeros. Primero se acercó a Kai, pero antes de que pudiera tocarlo, Kai agarró un enorme tronco de la pila de madera y lo puso entre él y la mujer. La mujer abrazó el tronco en su lugar, y pronto no fue más que una pila de astillas.

—Es una suerte que no haya sido yo a quien abrazaste—dijo Kai.

La mujer invitó a los compañeros a su casa y les proporcionó comida y bebida. Luego se acercó a la chimenea y abrió una puerta que estaba junto a la repisa de la chimenea. Detrás de la puerta había una pequeña habitación secreta, y de la habitación secreta salió un hermoso joven, que tenía el pelo rizado y dorado.

—¿Qué ha hecho para estar tan encerrado en esa habitación? —preguntó Gwrhyr.

—Es para salvarlo que se esconde en esa habitación secreta—dijo la esposa—. Una vez tuve veinticuatro hijos, y ahora todos ellos están muertos, sálvenlo. Todos los demás fueron asesinados por Ysbaddaden Pencawr, y nuestra única esperanza de mantener a este vivo es esconderlo.

—Deja que se quede conmigo—dijo Kai—. Juro que lo protegeré, y nadie le hará daño salvo que me maten primero.

Cuando terminó la comida, la esposa del pastor preguntó—: Dime, ahora: ¿por qué has venido aquí, y qué es lo que buscas?

—Venimos a buscar la mano de Olwen para nuestro amigo Culhwch—dijo Kai.

—Eso es muy imprudente—dijo la mujer—. Si valoran sus vidas, váyanse ahora, antes de que alguien del castillo pueda verlos.

—No lo haremos—dijo Kai—al menos, no hasta que hayamos visto a la doncella.

—¿Hay algún lugar al que vaya donde podamos verla sin ser vistos? — preguntó Gwrhyr.

—Sí—contestó la mujer—. Ella viene aquí todos los sábados para lavarse el pelo. Cuando lo hace, pone uno de sus anillos en un plato. Siempre se olvida de recogerlos después, y nadie del castillo viene a buscarlos tampoco. Viene mañana para esa tarea, y les dejaré verla sin que ella les vea, pero solo si prometen no hacerle daño.

Culhwch y sus compañeros estuvieron de acuerdo en que era un buen plan, y prometieron solemnemente no hacerle daño a la doncella.

A la mañana siguiente, Olwen llegó a lavarse el pelo. Llevaba un vestido de seda rojo como la llama, y alrededor de su cuello había un collar de oro rojo, tachonado con muchas gemas. Su pelo era de oro brillante, su piel más blanca que la leche, y sus ojos más brillantes que los del halcón más veloz. Dondequiera que pisara la hierba, brotarían flores de trébol blanco, y por eso la llamaban Olwen, que significa "Pista Blanca".

Tan pronto como Culhwch la vio, se adelantó y dijo—Señora, la saludo bien, porque siempre la he amado. Venga conmigo, porque la quiero como mi novia.

—No debo casarme contigo—dijo Olwen—no sin el consentimiento de mi padre, porque en el momento en que me case, él morirá. En lugar de eso, te pido que vayas a su castillo y le pidas una audiencia. Lo que te pida, consiéntelo sin dudarlo, porque si haces lo que te pide, quizá nos permita casarnos. Pero no dudes en lo que te pida, de lo contrario te matará al instante.

—Eso es lo que haré—respondió Culhwch.

Al día siguiente, Culhwch y sus compañeros se dirigieron al castillo donde tuvieron que pasar por nueve puertas. En cada puerta había un guardián con un mastín gigante. Culhwch y sus compañeros mataron a cada guardián con su perro, atravesaron cada puerta, y pronto se encontraron en el salón de Ysbyddaden Pencawr, rey de los gigantes.

—¿Quién eres y qué quieres? – rugió Ysbyddaden.

—Estamos aquí para pedir la mano de su hija Olwen en matrimonio con nuestro compañero, Culhwch hijo de Cilydd—dijo Kai.

—¿Dónde están mis sirvientes? – exigió Ysbyddaden—. Tráiganme los tenedores que sostienen mis párpados, para que pueda ver a este joven tonto que piensa en casarse con mi hija.

Los sirvientes trajeron los tenedores y los colocaron bajo los párpados del gigante. Miró a Culhwch de arriba abajo—. Así que piensas casarte con mi Olwen, ¿eh? — dijo—. Vuelve mañana. Tendrás mi respuesta entonces.

Los compañeros se volvieron para irse, pero mientras lo hacían, Ysbyddaden agarró una de las tres lanzas envenenadas que guardaba detrás de su trono, y se la lanzó a Culhwch. Pero antes de que la lanza pudiera encontrar su marca, Bedevere la cogió en el aire y se la lanzó al gigante. La lanza golpeó a Ysbyddaden en la rodilla, y él aulló de dolor—. ¡Nunca podré volver a caminar bien! — gritó.

Los compañeros volvieron a la casa de Custennin, donde se dieron un festín y se regocijaron de haber sobrevivido a su primer encuentro con el gigante. Al día siguiente, se levantaron temprano, se vistieron y se arreglaron con cuidado, para que se vieran lo mejor posible la próxima vez que hablaran con Ysbyddaden.

De nuevo entraron en el salón del rey de los gigantes. Esta vez Gwrhyr habló por la compañía.

—Denos a Olwen para ser la novia de Culhwch, y a cambio le daremos la dote habitual, además de regalos para usted y para sus parientes. Pero si no nos la da, morirá.

—Deben esperar mi respuesta—dijo Ysbyddaden—porque todos sus bisabuelos siguen vivos, y debo pedirles consejo primero.

—Muy bien—aceptó Gwrhyr—. Iremos a comer mientras hablas con ellos.

Los compañeros se volvieron a ir, y otra vez Ysbyddaden lanzó una lanza envenenada a Culhwch. Esta vez fue Menw quien cogió la lanza y la lanzó de vuelta. Tan feroz y fuerte fue el lanzamiento de Menw que la lanza atravesó directamente al gigante, en medio de su pecho—. ¡Ay! — gritó el gigante—¡ahora siempre tendré dolores de pecho e indigestión!

Los compañeros volvieron a la casa de Custennin, donde comieron y pasaron la noche. Por la mañana, volvieron a la sala del gigante.

—No nos lances otra lanza, oh Gigante—dijo Kai—¡si no te arriesgas a que te matemos!

En esto Ysbyddaden pidió a los sirvientes que le pusieran los tenedores bajo los párpados para que pudiera ver, y cuando esto se hizo, agarró la última lanza y la lanzó a Culhwch. Esta vez fue el mismo Culhwch quien cogió la lanza y la arrojó hacia atrás, y fue directo al ojo del gigante y salió por la parte posterior de su cuello—. ¡Ay! — gritó el gigante—¡ahora tendré dolores de cabeza para siempre, y mi ojo siempre llorará cuando tenga que caminar afuera en un día ventoso!

Los compañeros volvieron de nuevo a la casa del pastor, y al día siguiente volvieron a la sala del gigante.

—No nos rechaces, oh Gigante—dijo Kai—y no nos arrojes más lanzas, o seguramente te mataremos! Danos a tu hija, para que sea la novia de Culhwch.

—¿Quién de ustedes es Culhwch?—preguntó Ysbyddaden.

Culhwch se adelantó—. Yo soy Culhwch—dijo.

—Ven aquí y siéntate conmigo, para que podamos discutir este asunto—dijo el gigante.

Culhwch fue y se sentó junto a él.

—Así que has venido a pedir la mano de mi hija en matrimonio, ¿sí? — dijo Ysbyddaden.

—Sí, así es—respondió Culhwch.

—Primero debes prometer que siempre serás completamente honesto conmigo—dijo Ysbyddaden.

—Te prometo sinceramente con gusto—dijo Culhwch.

—Entonces te daré a mi hija, si puedes hacer los actos que te ordeno.

—Solo tienes que pedirlo—dijo Culhwch.

En esto el gigante nombró una tarea tras otra, cada una de ellas difícil y peligrosa. Culhwch debía limpiar y arar un campo que no podía ser arado; tenía que conseguir un cuerno mágico para beber y un arpa mágica; tenía que hacer una correa mágica con los pelos de la barba de un temible guerrero, porque eso era lo único que el sabueso que Culhwch iba a encontrar; tenía que conseguir la espada de Wrnach el gigante, y muchas otras tareas además. Pero la tarea más difícil, peligrosa e importante era conseguir el peine, las tijeras y la navaja que descansaban entre las orejas del jabalí gigante Twrch Trwyth.

Después de cada tarea Culhwch respondió—: No será un problema para mí hacer eso. —Y después de nombrar la última tarea dijo—No será un problema hacer nada de eso, porque mi pariente Arturo me dará toda la ayuda que necesito.

Culhwch y sus compañeros volvieron a la corte del rey Arturo. Arturo no solo comprometió a sus guerreros a ayudar a cumplir todo lo que Ysbyddaden le había ordenado, sino que él mismo se puso a la búsqueda, al igual que el hijo de pelo dorado de Custennin el pastor, cuyo nombre era Goreu.

Por todo el país iban Arturo y sus guerreros, logrando fácilmente todo lo que Ysbaddaden había ordenado, y volvían a Celli Weg en Cornwall, desde donde comenzarían la tarea de conseguir el peine, las tijeras y la navaja de entre las orejas de Twrch Trwyth. Arturo llamó a Menw hijo de Teirgwaedd y le dijo—Ve y busca a Twrch Trwyth, y fíjate si los tesoros están realmente entre sus orejas. No quiero que perdamos tiempo y esfuerzo buscándolo, si lo que buscamos no está ahí.

Menw se enteró de que el jabalí estaba en Irlanda, así que fue a buscarlo. Pronto encontró la guarida del jabalí y Menw vio los tres tesoros cuando el jabalí entró. Menw se convirtió en un pájaro y esperó. Cuando el jabalí salió, Menw se abalanzó e intentó arrebatar uno de los tesoros, pero solo consiguió agarrar una garra llena de cerdas. Esto enfureció a Twrch Trwyth, y se sacudió a sí mismo, enviando veneno volando de su escondite. Parte del veneno cayó sobre Menw, y quedó marcado por él para siempre.

Al saber dónde estaba el jabalí, y que en efecto tenía los tres tesoros, Arturo reunió una gran compañía de guerreros de tan lejos como Bretaña. También llamó a todos los mejores corceles y sabuesos de caza, y pronto tuvo un ejército tan poderoso que cuando desembarcó, los irlandeses le temieron mucho, y enviaron a sus hombres santos para que lo trataran y le pidieran protección. Arturo aceptó esto con gusto, y los santos hombres le proporcionaron a él y a su ejército comida.

Arturo y su ejército fueron a Esgair Oerfel, que es donde el jabalí tenía su hogar, junto con sus siete cerdos jóvenes. Soltaron a los sabuesos sobre el jabalí y sus crías. Los irlandeses lucharon con ellos todo el día, pero sin éxito, y una quinta parte del país de Irlanda fue arrasada en la batalla. Al día siguiente, el ejército de Arturo fue con su ejército a luchar contra el jabalí, y no les fue mejor. Al día siguiente, el propio Arturo fue a luchar con Twrch Trwyth. Lucharon durante nueve días y nueve noches, y al final de la batalla solo un joven cerdo había muerto.

Cuando Arturo regresó al campamento después de su lucha, sus hombres le preguntaron—¿Quién es Twrch Trwyth?

—Solía ser un rey—dijo Arturo—pero Dios lo convirtió en un jabalí, como castigo por sus pecados.

Arturo le llamó Gwrhyr Gwstad Ieithoedd y le dijo que fuera e intentara hablar con el jabalí. Gwrhyr se convirtió en un pájaro. Voló al lugar donde Twrch Trwyth vivía con sus crías, y se posó en una rama cercana.

—En nombre de Dios—dijo Gwrhyr—si alguno de ustedes puede hablar, les pido que salgan y hablen con Arturo.

El joven jabalí Grugyn Gwrych Eraint se presentó. Todas sus cerdas eran como de plata, y de hecho el brillo de las mismas podía verse desde lejos. Grugyn dijo—: Por el nombre de quien nos puso en esta forma, no hablaremos con Arturo, ni le daremos ninguna ayuda. ¿No ves que ya sufrimos bastante, sin ser acosados por Arturo y sus guerreros?

Gwrhyr respondió—: Debo decirte que Arturo quiere tener el peine, las tijeras y la navaja que están entre las orejas de Twrch Trwyth, y que luchará por ellos.

—Entonces Arturo debe venir a luchar—respondió Grugyn—porque Twrch Trwyth nunca se desprenderá voluntariamente de sus tesoros mientras viva. Pero debes saber esto: mañana nos vamos a las tierras de Arturo, y dondequiera que vayamos, será arrasado.

Twrch Trwyth y sus crías cruzaron el mar hacia Gales y llegaron a la costa de Porth Clais en Dyfed. Arturo los siguió en su barco, Prydwen, y por más que intentaran él y sus guerreros perseguir a la familia de jabalíes, no pudieron acercarse a ellos, hasta que finalmente lo mantuvieron a raya en Cwm Cerwyn. Hubo una gran pelea, y Twrch Trwyth mató a cuatro de los mejores guerreros de Arturo. Luego otros cuatro vinieron a luchar con él, y el propio jabalí fue herido, aunque al final esos cuatro guerreros perecieron también en los colmillos de Twrch Trwyth.

Al día siguiente, los hombres de Arturo persiguieron a Twrch Trwyth, y dondequiera que consiguieron mantenerlo a raya, los mató a todos. Twrch Trwyth corrió hasta Glyn Ystun, y fue allí donde los hombres de Arturo lo perdieron.

Arturo le llamó Gwyn hijo de Nudd. Preguntó si Gwyn sabía algo que pudiera ayudarles a cazar y matar a Twrch Trwyth, pero Gwyn dijo que no. Los hombres finalmente siguieron el rastro del gran jabalí y sus crías. Los cazaron por todo el país, poniéndoles los sabuesos y echándolos a la bahía, solo para que el jabalí y los cerdos jóvenes mataran a los cazadores y escaparan. Finalmente, todos menos Twrch Trwyth y dos de sus hijos fueron asesinados. Se separaron, y los cazadores los persiguieron en diferentes direcciones. Un joven cerdo fue a Ceredigion, donde mató a muchos de los cazadores pero finalmente fue abatido. Otro joven cerdo fue a Ystrad Yw, y lo mismo ocurrió allí.

El rastro del propio Twrch Trwyth se dirigía hacia Cornualles.

—Por Dios—dijo Arturo—no dejaré que ese jabalí entre en Cornualles. Esta persecución ya ha durado bastante. Vamos a encontrarlo y lucharé con él yo mismo.

Así que una banda de hombres escogidos fue a bloquear el camino de Twrch Trwyth y lo devolvió a donde Arturo estaba esperando. Alcanzaron al gran jabalí y lo obligaron a entrar en el río Hafren. Muchos guerreros persiguieron al jabalí en el agua con sus caballos. Los hombres agarraron a Twrch Trwyth por los pies y lo sujetaron para que estuviera bajo el agua. Mabon, hijo de Modron, se acercó al jabalí y le quitó la navaja. Cyledyr Wyllt se acercó al otro lado y le quitó las tijeras. Pero antes de que nadie pudiera conseguir el peine, Twrch Trwyth consiguió adquirir el lecho del río y se abrió camino a patadas. Salió del agua y corrió tan rápido que ni el caballo ni el sabueso pudieron acercarse a él, y así llegó a Cornualles.

Arturo y sus hombres persiguieron a Twrch Trwyth por toda Cornualles. Cuando finalmente arrinconaron a la bestia, hubo una pelea terrible como nunca antes se había visto, y más feroz que cualquiera de las que habían tenido con el jabalí desde que empezaron a perseguirlo. Pero después de esta pelea, Arturo finalmente logró arrebatar el peine. Twrch Trwyth se dio la vuelta y corrió. Llegó a la orilla, donde no se detuvo, sino que corrió directamente al mar, y nunca más se le volvió a ver ni se supo de él.

Arturo regresó a donde Culhwch estaba esperando, habiendo ganado todos los tesoros que Ysbyddaden necesitaba. Luego se dirigieron a la corte del gigante. Goreu, hijo de Custennin el pastor, fue con ellos, ya que tenía motivos para odiar a Ysbyddaden por haber matado a todos sus hermanos y haberle hecho vivir una vida de prisionero.

Llegaron a la corte de Ysbyddaden, y le mostraron todas las cosas que habían logrado. Entonces Caw de Prydyn tomó el peine, las tijeras y la navaja de Twrch Trwyth y afeitó a Ysbyddaden. Afeitó la barba del gigante, y su carne hasta el hueso, y sus orejas también.

Y Culhwch preguntó– ¿Te has afeitado bien?

Ysbyddaden respondió–Sí, lo he hecho.

–¿Y tu hija es ahora libre para ser mi novia? – preguntó Culhwch.

–Lo es–dijo el gigante–. Pero no me lo agradezcas a mí, sino a Arturo, porque es por sus actos que la tienes. Si me la hubieran dejado a mí, nunca la habrías tenido. Y ahora es el momento de ponerme fin.

En eso Goreu hijo de Custennin tomó al gigante por el pelo y le golpeó la cabeza. Luego fijó la cabeza a un poste en la puerta del castillo, y tomó para sí todas las tierras y posesiones del gigante. Arturo y todos sus guerreros regresaron a sus propias tierras. Culhwch se casó con Olwen, y estuvieron felizmente casados hasta el final de sus días.

Y esa es la historia de cómo Culhwch ganó a Olwen.

PARTE III

Cornualles y Bretaña

La Ciudad Ahogada de Ys

Esta historia de Bretaña sitúa a los antiguos elementos celtas, como druidas y criaturas del otro mundo, dentro de la lucha de la antigua fe celta contra la propagación del cristianismo. Ya hemos visto este conflicto en el cuento irlandés de los hijos de Lir, que presenta a los niños primero como víctimas trágicas de la cristianización y luego se convierten a esa religión. En el presente cuento, sin embargo, el personaje de Dahut, que es el producto de la unión entre un rey humano y una doncella de mar del otro mundo, es presentado como malvado, asesino y voluntariamente opuesto al cristianismo. Aunque los hijos de Lir se salvan en última instancia a través de las acciones de los cristianos, Dahut provoca su propia caída y la de la ciudad de Ys cuando se junta con un extraño que probablemente representa al diablo cristiano.

Una vez, hace mucho tiempo, hubo una gran ciudad en Bretaña llamada Ys. Hoy en día nadie sabe exactamente dónde estaba, porque se perdió bajo el mar. Algunos dicen que las ruinas de Ys se encuentran en la bahía de Trepasses. Algunos dicen que están en la bahía de Douarnenez. Pero dondequiera que se encuentre la ciudad, algunas noches los que viven en la costa de Bretaña escuchan las campanas de Ys sonando fantasmalmente a través de las aguas del mar. Y cuando la gente oye esas campanas, se estremecen, y piensan en la historia de cómo la ciudad fue construida, y cómo se perdió, hace tantos años.

La historia comienza en el reino de Cornouaille, que fue gobernado por el rey Gradlon. Gradlon era un rey sabio y generoso. Siempre trató de gobernar con justicia, y adoraba a los antiguos dioses, ya que el cristianismo aún no había llegado a esa parte de Francia. Gradlon solo tenía una hija, cuyo nombre era Dahut. Tenía la piel tan pálida como el marfil, los ojos tan oscuros como el carbón, y un largo pelo negro que fluía como un río. La madre de Dahut había venido del mar, habiéndose enamorado del guapo y majestuoso Gradlon desde lejos. La doncella del mar encantó al rey un día, de modo que la tomó por esposa, pero luego la disgustó, y así volvió al mar y no se la volvió a ver nunca más. Pero antes de irse, le dio una hija a Gradlon. Él amaba a Dahut más que a nada en el mundo, porque le recordaba a su madre, su reina perdida.

Un día, Gradlon y algunos de sus cortesanos fueron a cazar al bosque de Menez-Hom, donde los sabuesos observaron un gran jabalí. Gradlon y sus cortesanos incitaron a sus corceles a la caza. Corrieron a través de los árboles y los arroyos. Atravesaron los matorrales y saltaron sobre los troncos caídos. Pero no importaba lo duro que los cazadores cabalgaran, y no importaba lo rápido que los sabuesos corrieran tras el jabalí, no podían atraparlo.

Finalmente, Gradlon llamó a un alto en la persecución. Los sabuesos y los caballos estaban agotados, y también los cazadores. Mientras se detenían para recuperar el aliento, los hombres miraron a su alrededor y se dieron cuenta de que no tenían ni idea de dónde estaban. Habían estado tan empeñados en seguir al jabalí que no prestaron atención al camino que habían tomado. Estaban completamente perdidos, en una parte del bosque que ninguno de ellos había visto antes, y el sol estaba empezando a ponerse.

—Dirijámonos en esa dirección—dijo uno de los cortesanos, señalando hacia el oeste—. Estoy seguro de que hemos cruzado un arroyo allí, y al menos podemos dar de beber a los animales mientras decidimos qué hacer a continuación.

Gradlon estuvo de acuerdo en que era un sabio consejo, así que el rey y sus compañeros se volvieron hacia el oeste y fueron lentamente hacia el lugar donde el cortesano pensaba que había estado el arroyo. Cabalgaron durante unos minutos sin señales de un arroyo, pero luego llegaron a un claro en el que había una pequeña cabaña, con un pozo cerca. Uno de los cortesanos desmontó y fue a la cabaña. En respuesta a su llamada, un hombre con hábito de monje salió a la puerta.

—Bienvenido a mi ermita—dijo el monje—. Me llamo Corentin. ¿En qué puedo servirle?

—Saludos—dijo el cortesano—. Somos un grupo de cazadores que se han perdido en el bosque. Hemos visto su cabaña, y hemos venido a preguntarle si nos puede dirigir de vuelta a la ciudad de Quimper. Porque el líder de nuestro grupo es Gradlon, rey de Cornouaille.

—Ciertamente—dijo Corentin—. Estaré encantado de ayudar a Su Majestad y a todos ustedes a llegar a casa a salvo. Pero veo que han tenido una larga y agotadora cacería, y sus animales están agotados. ¿Puedo ofrecerles hospitalidad, para que puedan refrescarse y refrescar a sus animales antes de viajar?

Gradlon y sus cortesanos aceptaron con gratitud la invitación de Corentin. Primero Corentin extendió un hermoso paño blanco sobre la hierba limpia y suave frente a su cabaña para que Gradlon se sentara sobre él. Luego entró en su cabaña y sacó una gran cesta y una gran jarra. Mientras algunos de los cortesanos cuidaban de los caballos y los sabuesos, otros seguían a Corentin al pozo, donde primero llenó la jarra con agua clara. Luego sumergió su mano en el pozo y sacó un pequeño pez. Cortó el pez por la mitad con un cuchillo que llevaba en su cinturón. Una mitad del pescado lo puso en la cesta, mientras que la otra la tiró al pozo. Los cortesanos miraron donde el trozo había caído en el pozo y se asombraron al ver que el pececito estaba entero una vez más.

Corentin regresó al lugar donde Gradlon estaba sentado, llevando el jarrón y la cesta. Cuando los depositó sobre el paño blanco, la cesta se llenó inmediatamente con los alimentos más selectos y el jarrón con el mejor vino tinto. Gradlon y sus cortesanos se dieron un festín con todas las cosas buenas que salieron de la cesta. Había suficiente para todos, y para satisfacer a los sabuesos. El rey declaró que el vino era el mejor que había probado y, lo que es más, por mucho que bebieran los compañeros y su anfitrión, el jarrón siempre estaba lleno y nadie se emborrachaba.

Durante la comida, Corentin y Gradlon conversaron juntos. Corentin le contó al rey y a sus cortesanos los Evangelios y los caminos de la fe cristiana, respondiendo a cada pregunta que se le hacía. Gradlon encontró que Corentin era un hombre sabio y culto. Escuchó atentamente todo lo que el ermitaño tenía que decir. Al final de la comida, Gradlon y sus cortesanos habían decidido convertirse en cristianos, y Corentin los bautizó con agua del pozo.

Pronto llegó el momento de que Gradlon y sus compañeros se marcharan–. Venga conmigo a Quimper–le dijo el rey a Corentin–. Su sabiduría y sus enseñanzas son muy necesarias allí.

Al principio Corentin se mostró reacio, porque amaba su pequeña ermita en el bosque. Pero luego decidió ir con el rey, porque se dio cuenta de que tenía mucho trabajo que hacer para llevar el Evangelio a la gente de Cornouaille. Bajo la guía de Corentin, muchos de los súbditos del rey se convirtieron al cristianismo, y se construyeron iglesias por todo Quimper.

Gradlon estaba muy satisfecho con la difusión de la nueva fe, al igual que sus cortesanos y muchos de sus súbditos, y especialmente Corentin, que no esperaba tener tanto éxito. Dahut, sin embargo, se volvió infeliz y se retiró. Se mantuvo en su habitación, y a menudo parecía estar llorando. Cuando no estaba en su habitación, estaba en la cima de la torre más occidental del palacio, donde se sentaba mirando hacia el mar.

Un día Gradlon se dio cuenta de lo enfermiza que parecía Dahut–. Hija mía–dijo–¿no me dirás qué es lo que te preocupa tanto?

Dahut respondió–: Quimper ya no es hospitalario conmigo. Ahora hay iglesias por todas partes. Las iglesias están llenas de sacerdotes y monjes que no pueden hacer otra cosa que cantar sin cesar, incluso cuando van por las calles. Las campanas que sonaban en los viejos festivales ya no suenan, y en su lugar oímos campanas para la nueva fe. Los viejos dioses han sido abandonados. La alegría se ha ido del mundo.

–¿Qué puedo hacer para aliviar tu dolor?–preguntó Gradlon.

–Constrúyeme una ciudad junto al mar–dijo Dahut–porque siento que siempre me está llamando. Creo que sería feliz de nuevo si pudiera vivir donde pudiera ver las olas y sentir su rocío, y oler la sal del agua.

Gradlon estuvo de acuerdo en que se hiciera como Dahut pidió. Hizo que se construyera una gran ciudad de piedra en la costa, con casas elegantes cuyos muros estaban revestidos de cedro y con verdaderos cristales en las ventanas. Gradlon también ordenó que se construyera un nuevo palacio allí, para poder reunirse con su hija cuando sus deberes en Quimper lo permitieran.

Cuando la ciudad fue terminada, se le dio el nombre de Ys. La ciudad de Ys prosperó, porque pronto se llenó de comerciantes y artesanos que comerciaban a lo largo y ancho, y de pescadores que surcaban las aguas de la bahía para alimentar a los habitantes. Pero a pesar de todo su esplendor, la ciudad de Ys no contenía ni una sola iglesia de la nueva fe.

Dahut estaba encantada con la nueva ciudad. A los pocos días de vivir allí, su antigua salud y buen humor regresaron. El propio

Gradlon pronto descubrió que vivir allí era tan agradable que trasladó su corte a Ys, y allí habitó en el nuevo palacio con Dahut, dejando a Corentin para administrar Quimper en su nombre como obispo de Cornouaille.

La noticia de que no había iglesia en Ys llegó pronto a oídos de Corentin, quien escribió al rey preguntando por qué había descuidado honrar al Señor sin una sola casa de culto. Mientras Gradlon leía la carta de Corentin, Dahut fue a ver a su padre para discutir un asunto importante. Se había fijado en la ciudad y vio que necesitaba un malecón para protegerla de las inundaciones en caso de una gran tormenta. Pero cuando vio la carta de Corentin y oyó su demanda de que Gradlon construyera una iglesia, se enfureció.

—Construiste la ciudad Ys para que yo pudiera tener un lugar sin iglesias y sacerdotes—dijo Dahut—. Y ahora veo que nunca me libraré de ellos.

Dahut estaba convencida de que su padre haría primero lo que le pidiera Corentin, y dejaría el malecón para más tarde, así que decidió tomar el asunto en sus manos. Esa noche se escapó a la playa y tomó un pequeño velero. Navegó hasta la isla de Sein, un misterioso lugar en la costa del que, según se dijo, los visitantes nunca regresaron. No solo era peligroso acercarse a la isla por sus muchos arrecifes y rocas sumergidas, sino que también estaba habitada por nueve druidas que aún practicaban la antigua fe. Se decía que estas druidas eran capaces de cambiar sus formas a voluntad, y que eran servidas por los Korriganos, una raza de seres hadas que aún no habían sido víctimas de la nueva fe.

Cuando Dahut se acercó a la isla, enrolló la vela y se inclinó de espaldas a los remos. Navegó por las rocas y los arrecifes con habilidad, y cuando llegó el momento, saltó de su pequeño bote y lo subió a la arena. Dahut se quedó en la playa durante un largo momento, tratando de decidir qué camino tomar, cuando escuchó el sonido de las mujeres cantando. Se dirigió en dirección al sonido, que provenía de un grupo de robles hacia el centro de la isla. Cuando se acercó, vio que un fuego ardía en un claro, y alrededor del fuego estaban las nueve druidas, cantando canciones mágicas de la antigua fe. Las mujeres se dieron cuenta de que Dahut estaba de pie allí, y detuvieron su canción.

Dahut les dijo—: Soy Dahut, hija de Gradlon, rey de Cornouaille. Soy una seguidora de la vieja fe, y he venido a pedirles ayuda.

La mujer mayor se adelantó y dijo—: Eres bienvenida, Dahut, hija de Gradlon, e hija de la vieja fe. Nosotros aquí somos los pocos que quedamos que aún conocemos las viejas costumbres, pero lo que podamos hacer para servirte lo haremos.

Dahut les explicó cómo Gradlon había construido Ys para ella sin ninguna iglesia cristiana, y cómo ahora planeaba cambiar eso debido a la demanda de Corentin. También les dijo que Ys necesitaba un malecón, ya que estaba construido muy cerca de la costa y estaba en peligro de inundación, pero que Gradlon planeaba construir la iglesia primero y así dejar la ciudad desprotegida del mar mientras eso se hacía.

Las druidas escucharon atentamente la petición de Dahut y aceptaron ayudarla. Usando su magia, llamaron a los Korrigans. Las mujeres pidieron a los Korrigans que fueran a Ys y construyeran el malecón antes de que terminara la noche, pero también que construyeran un grandioso palacio nuevo para que Dahut viviera en él, uno que fuera más alto y más hermoso que cualquier iglesia. Los Korrigans dijeron que con gusto construirían el muro y el palacio para una hija de la antigua fe, y luego desaparecieron.

Dahut agradeció a las mujeres por su ayuda. Luego volvió a su barco y regresó a Ys. Cuando se acercó a la ciudad, vio que el malecón y el nuevo palacio ya estaban terminados. Estaban hechos de bloques de piedra blanca perfectamente tallados y pulidos. Reflejaban la luz de la luna de tal manera que parecían brillar con luz propia. En el malecón había una enorme compuerta de esclusa, que podía ser controlada con un juego de llaves de plata. Una vez más Dahut enrolló la vela de su barco y remó hacia la orilla. Cuando atravesó la puerta abierta, vio que las llaves la esperaban allí en las esclusas, enlazadas con una cadena de plata. Manteniendo su bote contra el interior del dique, Dahut giró las llaves, cerrando la compuerta de la esclusa. Tomó las llaves y se puso la cadena alrededor del cuello.

Por la mañana, Gradlon fue a buscar a su hija y la encontró en el nuevo palacio. Se maravilló ante el nuevo malecón y la grandeza del nuevo hogar de Dahut. Gradlon le preguntó muchas veces cómo habían surgido el muro y el palacio durante la noche, pero Dahut se negó a contestarle, aunque le dio las llaves de la compuerta de la esclusa, pidiéndole que las guardara siempre a salvo.

Después de que se construyeran el muro y el nuevo palacio, la gente vino de lejos para ver la hermosa ciudad de Ys. La ciudad prosperó enormemente con el nuevo comercio, y se hizo aún más rica de lo que había sido antes. La gente usaba las mejores ropas. Comían y bebían solo los alimentos y vinos más selectos. En los días de fiesta bailaban los bailes más modernos, con música interpretada por los mejores músicos. Pronto comenzaron a olvidarse de asistir a misa, prefiriendo pasar sus domingos y días santos en fiesta y juerga, hasta que la hermosa iglesia que Gradlon había construido cayó en desuso.

Pero por encima de todos sus otros encantos, la ciudad de Ys era el hogar de la mujer más hermosa del mundo, Dahut, hija de Gradlon, rey de Cornouaille. Jóvenes de toda Francia vinieron a Ys con la esperanza de ver a Dahut, y con la ambición de convertirse un día en su amante. Dahut animó esto, llevando a un joven tras otro a su palacio, donde ella jugueteaba con ellos durante un tiempo, luego los mataba y arrojaba sus cuerpos al mar cuando se cansaba de ellos.

Comenzaron a surgir rumores sobre los jóvenes que entraban en el palacio pero nunca volvían a salir. Gradlon escuchó esos rumores, pero los descartó. Dahut era su amada hija. Seguramente tales cosas viles se decían solo por celos de su belleza y sus logros. Después de todo, la nueva prosperidad de la ciudad de Ys era completamente a su favor.

No pasó mucho tiempo para que los cuentos sobre la ciudad de Ys y sus habitantes llegaran al obispo Corentin en Quimper. Horrorizado por la vida de lujo que llevaba la gente de Ys, y por su negligencia en los ritos sagrados de la nueva fe, Corentin mandó llamar al abad de Landevennec, un hombre sabio y humilde llamado Guenole. Corentin le pidió a Guenole que fuera a Ys, para ver qué se podía hacer para alejar al pueblo de sus malos caminos para que abrazaran la verdadera fe una vez más.

Guenole fue a Ys. Vio a la gente con sus ropas finas cenando en sus grandes banquetes. Vio el mal estado de la iglesia, su piso cubierto de polvo tan grueso que pequeñas nubes de polvo se elevaban en el aire con cada paso que daba. Sabía que no había tiempo que perder, así que se paró fuera de la iglesia y comenzó a predicar a la gente de Ys mientras pasaban por sus asuntos diarios. Algunos se detuvieron a escuchar un rato, pero no se quedaron, porque no les importaba lo que Guenole tenía que decir. Otros lo interrumpieron, y otros lo acosaron con verduras rancias, burlándose de él por su humilde comportamiento y su simple hábito de monje, y por atreverse a decirles que reformaran sus vidas. Cuando el abad Guenole se negó a dejar de predicar, la gente de Ys se enfadó, y lo echaron de la ciudad, amenazando con matarlo si alguna vez se atrevía a volver.

Unos días después de la partida de Guenole, un nuevo pretendiente llegó a Ys buscando una audiencia con Dahut. El pretendiente era alto y de buena constitución, con pelo y ojos oscuros, y montaba un caballo negro. Llevaba un traje de tela roja y una pesada capa roja forrada con seda roja. Se corrió la voz a Dahut sobre este apuesto desconocido recién llegado a la ciudad, uno más fascinante que todos los demás. Al principio Dahut no le prestó atención, porque siempre parecía no haber fin al flujo de jóvenes guapos que buscaban su favor. Pero un día la criada de Dahut le señaló al extraño, y Dahut estuvo de acuerdo en que era inusualmente convincente.

Después de deshacerse de su más reciente amante la noche anterior, Dahut decidió organizar un banquete para sus pretendientes para que ella pudiera elegir uno nuevo con el que jugar, pero sobre todo para que pudiera conocer a este recién llegado que estaba vestido todo de rojo. En el banquete, Dahut se comportó amablemente con todos los jóvenes que la rodeaban. Bailó con todos ellos, y les permitió traerle pasteles y vino. Pero el que más le llamó la atención fue el extraño vestido de rojo. Aunque le devolvió la cortesía a Dahut, permaneció distante y no se esforzó en llamar su atención. Esto la intrigó aún más, así que al final de la noche, lo invitó a su habitación privada.

Cuando llegaron a su habitación, Dahut invitó al extraño a hacer el amor con ella, pero él se negó.

—¿Por qué me rechazas? – preguntó Dahut—. Debes ser un joven extraño para despreciar los favores de una joven hermosa.

—Los rechazo solo porque primero debes hacerme un favor— respondió.

—Solo tienes que nombrarlo—dijo Dahut.

—Dame las llaves de la esclusa—dijo el forastero.

—No las tengo—dijo Dahut—. Están en poder del rey Gradlon.

—Entonces debes ir a buscarlas—dijo el forastero—porque no tendrás lo que deseas de mí hasta que tenga esas llaves en mi poder.

Dahut le dijo al extraño que esperara y salió al pasillo. Podía oír el viento que se levantaba fuera, mientras soplaba y gemía alrededor de los muros del castillo. Sin prestar atención a la tormenta, Dahut se arrastró hasta la cámara del rey, donde yacía dormido con las llaves al cuello en su cadena de plata. Con cuidado, Dahut sacó las llaves sin despertar a Gradlon, y volvió hasta donde la esperaba el desconocido. Ella le dio las llaves al desconocido, pero en lugar de abrazarla, él salió de la cámara y bajó al malecón, donde puso las llaves en las cerraduras y abrió la compuerta de la esclusa. El agua impulsada por la tormenta pronto inundó la ciudad.

Al oír los gritos de Dahut, Gradlon se despertó. Fue a ver a su hija, y luego corrió con ella a los establos. Allí encontraron que Guenole había regresado, y estaba esperando con dos caballos ya ensillados. Los hombres montaron, y Gradlon llevó a Dahut detrás de él. Atravesaron la ciudad, el agua oscura se arremolinaba cada vez más alto alrededor de los cascos de los caballos. Pero por muy rápido que galopara el caballo del rey, no podía superar la marea creciente del mar; el animal parecía estar obstaculizado por un gran peso.

De repente, el rey escuchó la voz de Guenole llamándole por el rugido del viento y las olas:

—¡Lanza el demonio de tu montura, oh rey! ¡Arrójala al mar, donde pertenece!

Gradlon miró detrás de él, pero no vio ningún demonio, solo a su amada hija. Su caballo se cansaba rápidamente, y ahora el agua estaba hasta el cuello.

—¡Arroja al demonio! — gritó Guenole.

Pero Gradlon no podía pensar en lo que el monje quería decir.

—¡Es Dahut quien retiene tu montura! — gritó Guenole—. Es ella quien le dio las llaves de la esclusa a su pretendiente demonio. Si no la empujas, perecerás junto con el resto de la ciudad de Ys, porque está condenada.

Gradlon dudó, pero Guenole espoleó a su montura para que corriera junto a la del rey. Tomando su bastón, el monje empujó a Dahut del caballo del rey al agua, donde se deslizó bajo las olas, y nunca más se la vio. Tan pronto como se fue, la tormenta comenzó a amainar, y el caballo de Gradlon pudo galopar con fuerza de nuevo.

Gradlon y Guenole cabalgaron con fuerza, yendo a tierras más altas. Cuando llegaron a un lugar que creían seguro, se volvieron y miraron de nuevo a la ciudad de Ys, solo para ver sus edificios empezar a derrumbarse y caer. Entonces, con un gran rugido y una ráfaga de lluvia, toda la ciudad se hundió en el mar.

Allí la ciudad de Ys yace quieta, arruinada y silenciosa bajo las ondulantes olas, pero en las noches de luna el débil sonido de sus ahogadas campanas todavía se puede oír sonar. Y algunos dicen que a veces también se oye una voz cantando, y que una joven con piel como el marfil y pelo oscuro que fluye como un río puede ser vista nadando con gracia bajo el agua, siempre buscando su palacio perdido.

El romance de Tristán e Isolda

No quedan mitos antiguos de Cornualles, pero la historia medieval de Tristán e Isolda, que se desarrolla en Cornualles, tiene un análogo en "La búsqueda de Diarmuid y Gráinne", una historia irlandesa sobre el amor prohibido entre un joven guerrero y la novia del rey al que sirve el guerrero.

Es importante señalar que la palabra "romance" aquí se refiere no a un tipo de amor sino a un género literario medieval conocido en el Viejo Francés como el romano, que a menudo, aunque no siempre, involucra a personajes comprometidos con el amour courtois*, o "amor cortés", que es de donde obtenemos muchas de nuestras nociones modernas sobre el amor romántico. Una relación de amor cortés era entre un caballero soltero y una dama que estaba casada con alguien más, normalmente el amo del caballero; por lo tanto, se esperaba que el caballero y la dama se mantuvieran castos a pesar de sus sentimientos hacia el otro.*

Muchas variantes medievales de la historia de Tristán e Isolda sobreviven. El relato siguiente se basa en la edición moderna de Joseph Bernier, que fue recopilada de fuentes francesas.

Había una vez un rey en Cornualles, llamado Marcos, y estaba acosado por muchos enemigos que intentaban arrebatarle su reino. La noticia de esto llegó al amigo de Marcos, Rivalen, que era el rey de Lyonesse sobre el mar en Francia. Rivalen llevó su ejército a Cornualles para ayudar a Marcos. Juntos, los dos reyes lucharon valientemente junto a sus soldados, y cuando la guerra terminó,

Marcos salió victorioso. En gratitud por el valor y la ayuda de Rivalen, Marcos le dio a su hermana Blanchefleur para que fuera su esposa, y Rivalen la quería mucho.

Blanchefleur pronto quedó embarazada, pero Rivalen no vivió para verlo nacer, porque el rey fue atrapado en una emboscada del duque Morgan, que había atacado el reino de Lyonesse y lo estaba arrasando. Cuando le dijeron que su marido había sido asesinado, Lady Blanchefleur se entregó a la pena, esperando solo el momento en que su hijo pudiera nacer. Pronto nació un hermoso niño, al que dijo—: Con pena te he dado a luz, con pena te dejo; por tanto, que tu nombre sea Tristán, que significa "hijo de la pena". Y entonces Blanchefleur se recostó en sus almohadas y respiró por última vez.

Tristán fue acogido por el mariscal de Rivalen, Rohalt, un buen hombre que amaba a su amo y que quería proteger al heredero de Rivalen del duque Morgan. Crió a Tristán como si fuera suyo, educándolo como el hijo de un noble. Pronto Tristán se había convertido en un buen joven: nadie podía igualarle en fuerza, habilidad o cortesía. Por mala suerte, Tristán fue capturado por piratas cuando fue al puerto a ver las mercancías traídas por los comerciantes de una tierra lejana. No estaban muy lejos del mar cuando se desató una tormenta que amenazó a su barco. Pensando que era su crimen el que había traído la tormenta sobre ellos, los piratas pusieron a Tristán en un pequeño bote y lo bajaron al agua. La tormenta se calmó inmediatamente y los piratas se alejaron. Tristán fue arrojado solo y sin amigos a las costas de Cornualles, donde pronto cayó con algunos de los cazadores del rey. Tristán volvió con ellos a la corte de Marcos en Tintagel, donde se ofreció para servir al rey. Pronto se hizo muy querido por Marcos y toda la corte, aunque les ocultó su parentesco.

Un día, Rohalt vino a la corte de Tintagel a hacer un recado, y reconoció a su hijo adoptivo. Se alegró de ver a Tristán de nuevo, vivo y entero, cuando lo creía muerto, y Tristán también se alegró de ver al hombre que consideraba su padre. Fueron a ver a Marcos, y allí le revelaron la verdad del nombre y la posición de Tristán. Tristán le rogó a Marcos que le diera armas y hombres para vengar a su padre y librar a Lyonesse del malvado duque. Marcos aceptó gustoso nombrar caballero a Tristán ese mismo día. Tristán zarpó para Lyonesse al día siguiente con su ejército, y pronto habían derrotado a los hombres del duque y los habían hecho huir, mientras que el propio duque fue asesinado por Tristán en un combate uno a uno.

Deseando volver al servicio de Marcos, Tristán entregó todas sus tierras a Rohalt y a sus herederos, con el acuerdo de los nobles de Lyonesse. Luego Tristán se despidió de Rohalt y regresó a Cornualles, llevando consigo solo al escudero Gorvenal, que había sido su maestro de armas cuando era niño.

Cuando Tristán y Gorvenal llegaron a Tintagel, encontraron a Marcos y a su corte en una gran angustia. Durante quince años, el rey de Irlanda había exigido un pesado tributo de esclavos, que Marcos se había negado a pagar. Por lo tanto, un caballero irlandés llamado Morholt, hermano de la reina de Irlanda, había venido con sus compañeros para decirle a Marcos que los irlandeses invadirían Cornualles y la arrasarían a menos que pagara el tributo o que Morholt fuera derrotado por un campeón de Cornualles en un combate individual.

Morholt habló con valentía en el gran salón de Tintagel, pero ninguno de los nobles de la corte se atrevió a aceptarlo hasta que Tristán suplicó que se le permitiera defender el honor de Cornualles. Marcos dudó, pues amaba a Tristán, y no quería perder a tan buen caballero en la flor de su juventud. Pero Tristán persistió, y finalmente Marcos cedió. Morholt acordó que se encontraría con Tristán en la batalla del día siguiente, en la isla de San Sampson.

A la hora señalada, Morholt y Tristán navegaron a la isla, ambos bien armados y cada uno solo en su propio barco. Los caballeros se saludaron mutuamente y la batalla comenzó. Nunca antes se había visto una pelea así en Cornualles o Irlanda, y sin duda, nunca se ha visto una pelea así desde entonces. Ambos caballeros asestaron poderosos golpes a los escudos, y detuvieron los poderosos golpes con sus espadas, y el estruendo resultante fue como el sonido de cien herreros todos rápidos en su trabajo.

En tierra, el rey Marcos y su corte esperaban ansiosamente noticias del vencedor, como lo hacían los nobles irlandeses. Hora tras hora no llegó ninguna noticia de la isla de San Sampson, hasta que sonó la campana de las vísperas. Entonces uno de los cortesanos de Marcos señaló al mar y gritó—¡Miren!

En el horizonte se veía la vela del barco de Morholt, y el barco de Tristán no se veía por ninguna parte. Cornualleses e irlandeses por igual apenas se atrevieron a respirar esperando ver quién estaba al timón de ese barco. Muy pronto llegó al puerto, con Tristán orgullosamente de pie en la proa y Morholt herido de muerte en el mástil. Los nobles se apresuraron a llevar el barco a la orilla. Tristán saltó y mostró su espada a los irlandeses: faltaba un trozo de ella cerca de la punta de la hoja.

Tristán dijo—: ¡Hombres de Irlanda! Su caballero luchó bien y con valentía, pero al final la victoria fue para Cornualles. Vean aquí mi espada: el trozo que falta lo encontrarán alojado en la cabeza de su campeón. Ese pedazo de mi espada es el tributo de Cornualles. Llévensela, pues, a su rey en Irlanda.

Tristán regresó al castillo de Tintagel, la multitud aclamaba su victoria mientras sonaban las campanas en todas las iglesias de la ciudad. Tristán sonrió y aceptó el agradecimiento y la alabanza de sus compatriotas, pero cuando finalmente llegó a la corte y la multitud quedó fuera de la puerta, se derrumbó en los brazos del rey Marcos, sin sentido, con el cansancio total y las heridas que había recibido.

Los irlandeses, por su parte, tomaron el cuerpo de Morholt y regresaron a su propia tierra. Se entristecieron mucho, porque no solo Morholt tenía una gran fuerza de brazos, sino que también era muy querido por el rey, la reina y toda su corte. Cuando llegaron, entregaron a Morholt al cuidado de su hermana, la reina, y su hija, Isolda. Ambas mujeres eran muy hábiles en las artes curativas, y a menudo habían atendido a Morholt y a otros caballeros de su casa cuando volvían heridos de la batalla. Pero no podían curar una herida tan fatal, y pronto Morholt murió, con el fragmento de la espada de Tristán aún alojado en su cabeza. Entonces la reina e Isolda se entristecieron mucho por la muerte de su pariente, y cuando terminaron de llorar, Isolda fue al cuerpo de Morholt y sacó el trozo de la espada de Tristán, que puso en un lugar secreto para guardarlo. Y desde ese día, Isolda puso su corazón en contra de Tristán, y juró vengarse de él por la muerte de su tío.

Pero Tristán no se curó rápidamente de sus heridas, porque Morholt le había golpeado con una lanza envenenada. La herida se infectó, a pesar de los cuidados de los mejores médicos de Cornualles. Finalmente Tristán supo que su muerte no estaba lejos. Le rogó a Marcos que le preparara un barco, ya que deseaba que le pusieran en él junto con su arpa y le empujaran al mar, donde podría morir en paz, ya que por el mar había llegado a Cornualles hacía muchos años. Durante muchos días, el rey rechazó esta petición, pero pronto incluso Marcos vio que Tristán se estaba muriendo, y por lo tanto el barco estaba preparado. Marcos, Gorvenal y el senescal Dinas, que también amaba mucho a Tristán, lo subieron a su barco con su arpa. Lo empujaron hacia la marea en retirada, donde observaron hasta que la pequeña embarcación flotó más allá de su vista.

Durante muchos días, Tristán flotó sobre las olas en su pequeña barca. Tocaba su arpa y cantaba para hacerse compañía, y un día este sonido llegó a oídos de algunos pescadores. Era una canción extraña e inquietante, porque la voz de Tristán era débil y no podía cantar ni tocar más que unos momentos. Los pescadores siguieron el sonido de la música, y cuando se encontraron con Tristán lo llevaron a su propia embarcación, donde cerró los ojos y apenas parecía respirar. Los pescadores navegaron tan rápido como pudieron hacia el puerto, pues vieron que Tristán estaba gravemente herido y era probable que muriera. Una vez en tierra firme en su propio país, llevaron a Tristán a la señora del castillo que estaba cerca, ya que era conocida en todas partes como una curandera.

Tristán fue llevado a una cámara y puesto en una cama suave y limpia, y la señora lo atendió bien. Su herida supurante pronto se cerró y se curó; y cuando la fiebre bajó, volvió en sí y encontró a una bella dama de larga cabellera dorada sentada al lado de su cama.

–Si le parece bien a milady–dijo Tristán–dígame quién es usted y qué lugar es éste.

–Este es el castillo de Whitehaven–dijo la dama–y yo soy Isolda, la hija del rey de Irlanda.

Entonces Tristán comprendió el grave peligro que corría, pues seguramente los irlandeses no querrían al caballero que había vencido a su mejor campeón y les había privado de un rico tributo.

Entonces la dama habló–. Te he dicho mi nombre–dijo–. Ahora favoréceme con el tuyo.

–Me llamo Tramtris–dijo, sabiendo que su verdadero nombre probablemente significaría su muerte–. Había emprendido un viaje a España para aprender lo que pudiera de los arponeros de allí cuando los piratas asaltaron nuestro barco. Me hirieron, como ves. Conseguí escapar, pero todos mis compañeros murieron cuando el barco se hundió.

Lady Isolda nunca había visto a Tristán, así que no tenía motivos para creer que su historia era falsa. Tristán pasó muchos días en la corte de Whitehaven, y aunque allí vio a muchos de los nobles que habían venido a Cornualles con Morholt, ninguno lo reconoció, tan devastado estaba por la enfermedad que le causó su herida.

Bajo el cuidado de Isolda, Tristán pronto recuperó su antigua fuerza. Y una noche, cuando consideró que era el momento adecuado, huyó del castillo y regresó a Cornualles, donde fue recibido con alegría por el rey Marcos y toda la corte.

Aunque el rey Marcos y la gente de Cornualles querían mucho a Tristán, había cuatro nobles que envidiaban su belleza, su destreza, y la confianza que tenía el rey Marcos en él. Los nombres de estos cuatro eran Andret, Guenelon, Gondoit y Denoalen. Les llegó a los oídos que el rey Marcos, que era soltero y sin hijos, quería hacer heredero a Tristán, en lugar de elegir entre los nobles. Por lo tanto, los cuatro acudieron al rey, exigiéndole que tomara para sí alguna esposa noble, o se unirían y asaltarían Tintagel hasta que Marcos fuera derrocado. Aun así, Marcos se mantuvo firme, diciendo que no dejaría a nadie más que a su querido sobrino sentado en el trono de Cornualles.

A Tristán, por su parte, no le gustaba, porque sabía que los nobles consideraban que no servía a Marcos por amor, sino que debía ganar el trono tras la muerte de Marcos. Sintiendo la herida en su honor, Tristán fue a ver a Marcos y le dijo que estaba de acuerdo con los nobles, y que si era necesario dejaría Cornualles, a menos que el rey tomara para sí una esposa y así produjera un heredero legítimo. Ante esto, Marcos finalmente se inclinó ante las demandas de su corte, y dijo que serían respondidas después de un plazo de cuarenta días, aunque él mismo desesperaba por encontrar una novia noble que fuera agradable para él y también aceptable para su corte.

Un día, mientras Marcos estaba sentado en la ventana pensando en cómo encontrar una novia, vio dos pajaritos revoloteando, discutiendo sobre cuál de ellos debería tener la cosa que uno agarraba en su pico. Mientras discutían, uno de ellos dejó caer la cosa. Brillaba mientras caía, dorada a la luz del sol, así que Marcos sacó la mano por la ventana para cogerla. Cuando la tuvo en su mano, vio que era un solo pelo largo y dorado.

Marcos tomó el pelo y se lo mostró a su corte—. Señores míos—dijo—. He encontrado a la que tendré por esposa. Encuentren a la mujer de cuya cabeza salió esto, y me casaré con ella.

Los nobles se callaron, porque sabían que Marcos se burlaba de ellos con este desafío. Los cuatro que le habían aconsejado que se casara murmuraron que Tristán debía ser el autor del truco, y le miraron oscuramente. Tristán sabía lo que hacían, así que se puso en medio del salón y dijo—: Milord, le suplico el derecho de emprender la búsqueda para encontrar a la Dama del Cabello Dorado. Y prometo no volver a Tintagel sino con esa señora. —Tristán había pensado en Isolda, hija del rey de Irlanda, y su pelo largo y rubio.

El Rey Marcos no tuvo más remedio que conceder esta petición, así que Tristán convocó a Gorvenal y a cien buenos caballeros y navegó con ellos a Irlanda. Allí Tristán y sus caballeros se hicieron pasar por mercaderes, esperando una oportunidad que les permitiera llevar a Lady Isolda a Cornwall.

Una noche, mientras Tristán y sus compañeros cenaban en una taberna, el sonido de un gran rugido de lamentos flotó desde las colinas y por el aire de la ciudad. Tristán preguntó al propietario qué sonido era ese, pues ni él ni ninguno de sus amigos habían oído nunca algo tan temible, y eso hacía que hasta su valiente sangre se enfriara.

—Esa es la voz del dragón—dijo el propietario—. A veces baja de su madriguera en las montañas y amenaza con quemar la ciudad y arrasar las tierras a menos que le demos una joven doncella. Cuando ruge así, sabemos que tenemos hasta la noche siguiente para elegir una doncella como tributo.

—Una veintena de caballeros y más han intentado matarlo, pero ninguno ha vuelto con vida, y es una lástima, porque el propio rey ha dicho que quien mate a la bestia tendrá como esposa a su hija Isolda, que es la mujer más bella del mundo. Ah, yo—suspiró el terrateniente, que era un hombre canoso y tenía la forma de uno de sus propios barriles de cerveza—si yo fuera veinte años más joven y tres veces más ligero, yo mismo podría incluso arriesgarme a esa búsqueda, ya que Lady Isolda es como ninguna otra.

Fue entonces cuando Tristán supo lo que debía hacer. Primero hizo un par de preguntas más, para conocer el camino a la guarida del dragón, pero sin revelar su intención. Luego él y sus compañeros agradecieron al dueño por su historia y por la comida. Pagaron su cuenta, y luego volvieron a su barco como si planearan pasar la noche allí, como era su costumbre. Pero en lugar de ir a descansar, ayudaron a armar a Tristán en secreto, y cuando el puerto y el pueblo por fin se durmieron, lo montaron en su caballo y se alejó cabalgando para encontrarse con el dragón.

De camino a la guarida de la bestia, Tristán vio a cinco hombres armados que venían galopando por el camino hacia él. Los saludó y les preguntó si estaba en el camino correcto para encontrar al dragón. Levantaron sus monturas y uno de ellos dijo—: Así sí, pero si fueras un hombre más sabio, te darías la vuelta en este instante. Porque esa bestia seguramente viene directamente de la boca del mismo infierno.

Entonces los cinco pusieron espuelas a sus caballos y se alejaron a gran velocidad. Tristán reanudó su viaje y pronto llegó al dominio del dragón. Una vez que la bestia sintió el olor del caballo de Tristán, salió de su madriguera, con las narices llenas de humo. Era tan larga como la gran sala del castillo Tintagel, con garras rojas como la sangre, largas y afiladas como guadañas, y una gran boca llena de dientes como los colmillos de un elefante pero más afilados que cualquier espada. También estaba cubierto de grandes y brillantes escamas en su espalda y piernas, y sus grandes ojos de serpiente brillaban con una malévola luz verde.

Poniendo su lanza en posición, Tristán impulsó su ataque directamente al dragón. El gran corcel saltó a la batalla con buena voluntad, ya que era tan valiente como su amo. Justo cuando la lanza de Tristán golpeó el costado del dragón y se convirtió en astillas, el monstruo soltó una llamarada de su boca. Tristán esquivó las llamas de su propio cuerpo con su escudo, pero no fue suficiente para proteger a su fiel amigo. El caballo se derrumbó en el suelo, muerto en el instante. Tristán saltó a un lado mientras su caballo caía, y sacó su espada. Se lanzó de un lado a otro, esquivando los dientes y garras del dragón, así como el fuego ardiente y los azotes de su poderosa cola, pero aunque asestó muchos golpes, ninguno pudo atravesar las escamas de la bestia. Entonces Tristán se lanzó bajo el cuerpo del dragón y lo apuñaló hacia arriba. Su espada encontró un espacio suave y desprotegido en el pecho del dragón, y su espada fue directamente al corazón de la bestia. Con un grito ensordecedor y un último estallido de llamas, el dragón se enroscó en su agonía. Se estremeció por última vez y se quedó quieto.

Entonces Tristán tomó su espada y le cortó la lengua al dragón. La puso dentro de su armadura, junto a su piel, para guardarla, pero no pensó en el veneno que contenía. Tristán se tambaleó y cayó, donde yacía como muerto.

Mientras Tristán luchaba contra el dragón, los cinco hombres que había pasado por el camino se detuvieron en una taberna donde hablaron entre ellos del caballero que había ido a donde ellos no se atrevían, y se preguntaron cómo le había ido. El que había hablado con Tristán era el senescal de Irlanda, y un total cobarde, pero era el líder de esa pequeña banda. Dijo a sus compañeros—: Vamos a ver qué fue de ese caballero que vimos en el camino. Quizá encontremos algo que nos beneficie.

Así que el senescal y sus compañeros volvieron a la guarida del dragón, y cuando llegaron vieron que la bestia estaba muerta y que Tristán también había muerto junto a ella, o eso creían. Así que el senescal tomó su espada y cortó la cabeza del dragón, pensando que así tendría a Lady Isolda como premio. Cuando el senescal mostró la cabeza al rey, éste se preguntó cómo un hombre de tan poca valentía podía haber matado a una bestia tan grande, pero no tuvo más remedio que cumplir su palabra, y dijo que la bella Isolda debía casarse con el senescal, pero solo después de que la corte hubiera juzgado la legitimidad de su reclamo.

La propia Isolda se avergonzó de que la obligaran a casarse con un hombre de poco coraje y maneras intrigantes, así que llamó a su palafrén y se dirigió a la guarida del dragón, junto con su fiel escudero, Perinis, y Brangien, su doncella. En la guarida de la bestia encontraron el cuerpo sin cabeza del dragón y el cuerpo quemado de un caballo, pero al mirar su silla y sus brazos supieron que el corcel no era el del senescal. Recorriendo los alrededores, pronto se toparon con Tristán, que seguía tirado como muerto en la hierba. Pusieron a Tristán sobre el caballo de Perinés y lo llevaron al castillo, donde Isolda lo entregó al cuidado de su madre. Cuando sus sirvientes le quitaron la armadura a Tristán, encontraron la lengua del dragón, y la reina supo que su veneno era la causa del desmayo de Tristán. Le dio un tratamiento para ello, y pronto volvió en sí.

La reina le contó a Tristán la hazaña del senescal y el horror de Isolda al ser prometida a un bribón y a un cobarde. Tristán prometió que defendería su propio honor y el de Isolda si la reina podía curarle de sus heridas. La reina accedió, con gusto, y luego fue a decírselo a su hija. Isolda quería saber más sobre este extraño caballero, así que fue a donde sus brazos habían sido colocados. Sacó la espada de su vaina, y allí vio la muesca en la hoja, que encajaba exactamente con el trozo de acero que había tomado de la cabeza de Morholt. Al ver esto, se enfureció y, espada en mano, entró en la cámara donde yacía Tristán, aún débil por el veneno del dragón. Isolda sostuvo la espada en su pecho diciendo—: Sé quién eres. Eres Tristán de Lyonesse, que mató al caballero Morholt, mi tío y un buen hombre. Dime por qué no debería vengarme de ti ahora.

—Señora—dijo Tristán—mátame si es necesario, porque te debo la vida dos veces. Yo fui el arpero que salvaste, que llegó a Irlanda en un pequeño bote gravemente herido, y ahora me has salvado del veneno del dragón. Pero antes de vengar a tu tío te pregunto: ¿no maté a Morholt en un combate justo? ¿No actuó como campeón de Irlanda como yo lo hice en Cornualles? ¿Y no maté también al dragón por ti? Entonces toma mi vida, porque es tuya, pero hazlo sabiendo lo que haces y a quién matas.

Isolda mantuvo la espada quieta en su pecho, pero ahora ella estaba preocupada en su corazón. Ella dijo— ¿Por qué entonces vendrías aquí, si te has enemistado con Irlanda? ¿Por qué me llevarás en contra de mi voluntad a un país lejano donde soy una extraña, sino para castigarme a mí, a mi padre y a mi pueblo?

Entonces Tristán le contó la historia de los pájaros y de la bella cabellera dorada, y que fue para esto que vino a Irlanda, para encontrar a tal dama, aunque no dijo entonces quién lo había enviado ni por qué. Isolda se encontró con una buena respuesta. Bajó la espada, e hizo las paces con Tristán.

Cuando llegó el día en que el senescal probara su afirmación, el rey encontró su sala llena no solo de sus propios cortesanos sino de cien caballeros extraños, todos vestidos con finas vestiduras y ceñidos con buenas espadas, pues Isolda había enviado a Perinés al barco de Tristán para dar a sus compañeros la palabra de que debían arreglarse como correspondía a su puesto y venir a la corte a la hora señalada. Allí, en frente de la corte, el senescal contó una historia de cómo había matado al dragón, y presentó su cabeza como evidencia de su destreza y victoria. Entonces el rey dijo—: ¿Hay alguien que contradiga la afirmación del senescal?

Durante un largo momento hubo silencio en la sala. Entonces Isolda se adelantó y dijo—: Noble padre, hay un caballero que lo contradice y no es otro que el caballero que mató al dragón. Pero antes de que se presente ante ti para reclamarlo, te pido que perdones cualquier daño que te haya hecho en el pasado, sea cual sea.

El rey aceptó de inmediato. Entonces Isolda llevó a Tristán a la sala, y cuando lo hizo, los cien extraños caballeros se inclinaron ante él, para que todos supieran que era su lord. Algunos de los caballeros irlandeses lo reconocieron, diciendo que era nada menos que el caballero que había matado a Morholt. Unos pocos desenvainaron sus espadas y habrían luchado en ese mismo momento, pero Isolda gritó—: ¡Milord! Has dado tu palabra de perdonar a este hombre todos sus errores. Cumple ahora tu promesa.

El rey ordenó a sus caballeros que envainaran sus espadas, y dijo que todo estaba perdonado para Tristán, porque el rey era un hombre de palabra. Luego le preguntó a Tristán—: ¿Qué dices del reclamo del senescal y de la razón de tu presencia aquí en nuestro reino?

–Señores míos–dijo Tristán–es cierto que maté a Morholt. Pero fallan al pensar en castigarme por esa acción: Luché con él, pero solo después de que Morholt viniera a Cornualles y lanzara su desafío a petición vuestra. Me presento ante usted ahora habiendo pagado la deuda de esa pérdida, porque en verdad soy yo quien mató al dragón. No lo hice por mí mismo, sino en nombre del rey Marcos de Cornwall, para que se casara con la bella Isolda y con esta unión poner fin a todos los agravios entre nuestros dos países. Yo y los cien caballeros de Cornualles que están aquí juramos solemnemente que este es nuestro mandato, y que siempre seremos fieles a Isolda como nuestra dama reina.

Entonces el rey y los señores de Irlanda dijeron que fueron bien respondidos. Y así el rey recibió de Tristán su promesa de llevar a Isolda a salvo a las tierras de Cornualles y al rey Marcos. Cuando todo estuvo listo, Tristán y sus compañeros tomaron un barco para Tintagel, con Lady Isolda, su doncella y escudero entre ellos como invitados de honor, y otros sirvientes para hacer por la dama lo que ella requiriera.

Antes de que Isolda se embarcara hacia Cornualles, su madre preparó una poción de amor, lo puso en un frasco tapado y se lo entregó a Brangien, diciéndole que lo derramara para Isolda y Marcos en su noche de bodas como si les diera un trago de vino, pero que mantuviera el frasco oculto hasta entonces, ya que la poción tenía el poder de hacer que los dos que lo bebieran se amaran con el más profundo de los amores por el resto de sus días. Brangien prometió que haría lo que la reina le ordenara, y por eso escondió la petaca entre los bienes llevados al barco.

El barco navegó hacia Cornualles con vientos suaves, pero pronto se encontraron inmóviles cerca de una pequeña isla. Los marineros se inclinaron hacia los remos y encallaron el barco, pensando que todos podrían descansar en tierra mientras esperaban una brisa refrescante. Todos desembarcaron entonces, excepto Lady Isolda, que se quedó a bordo, apenada por tener que ir a un país extraño para casarse con un hombre que no conocía.

Tristán volvió al barco para ver qué podía hacer para aliviar el dolor de Isolda. El día era caluroso, y Tristán preguntó si a la señora le gustaría beber algo. Dijo que sí, así que la sirvienta que estaba con Isolda bajó para ver si podía encontrar algo refrescante. Buscando a través de la bodega, la chica encontró la petaca que la reina había preparado. Pensando que el frasco contenía vino frío, lo llevó arriba a su dama, con dos vasos, y lo sirvió para ellos. Tristán brindó por la salud de la dama, y luego ambos bebieron.

Fue entonces cuando Brangien regresó al barco y los vio a los dos parados allí, mirándose fijamente el uno al otro. También vio el frasco vacío cerca y supo que la pareja había bebido la poción de amor–. ¡Ay! – gritó–. No ha sido un vino común el que has bebido, sino la muerte.

Tristán sabía que Brangien hablaba en serio, pues sabía que amaba a Isolda más que a su propia vida, y que con ello había traicionado a su rey, a quien amaba como a un padre. Isolda, por su parte, encontró que su dolor se había calmado. Dentro de ella solo sentía amor por el apuesto caballero de Lyonesse, y su odio hacia él y hacia su esposo prometido desapareció por completo. Y allí, en la cubierta del barco, Tristán e Isolda se prometieron su amor, pero Brangien se desesperó. Decir a sus amigos que su amor no era más que el efecto de la poción elaborada por la madre de Isolda, no sirvió de nada: la dama y el caballero estaban bajo el hechizo del amor, y vasallos de ese amor permanecerían, lo quisieran o no.

Cuando llegaron a Tintagel, el rey Marcos salió a saludar a Isolda con gran cortesía. La recibió con alegría en su corte y agradeció a Tristán y a sus caballeros su valor y firmeza. Unos días más tarde, la boda de Isolda y Marcos tuvo lugar con gran ceremonia en la capilla del castillo. Pero en la noche de bodas, Brangien fue quien compartió la cama de Marcos, tomando el lugar de su amante en la oscuridad sin que Marcos lo supiera, ya que Brangien sintió el peso de la culpa por el hecho de que Tristán e Isolda hubieran bebido la poción, y además no quería ver mancillado un amor tan puro.

Aunque Isolda era amada por Marcos y por toda su corte, y aunque no le faltara nada en cuanto a vestimenta, comida u ocupación propia de una dama, no podía ser feliz, porque quien realmente la amaba nunca podría tenerla. Amaba a Tristán con toda su alma, y diariamente se afligía y temía por él, porque no podía mostrar ese amor a nadie sin ponerse en peligro a sí misma y a su amado. Pero Isolda siempre mostró su amor por Tristán, en miradas o en pequeñas señales de amistad, y él no podía quedarse sin sus propios gestos de amor hacia ella, aunque estos no eran más que momentos rápidamente robados con la constante esperanza de que no se hubieran notado.

Los temores de Tristán y su señora estaban bien fundados, pues los cuatro envidiosos nobles que primero habían exigido que Marcos se casara vieron los signos de amor entre la pareja. Esto pensaron usarlo contra Tristán y Marcos por igual, envenenando el amor del rey por su reina y poniéndolo en contra del sobrino que tanto apreciaba. Los cuatro pidieron una audiencia al rey y le dijeron que Tristán amaba a Lady Isolda y que con ello había traicionado la confianza de su señor feudal. Marcos se negó a escucharlos, diciendo que aun así confiaría en Tristán, que siempre había sido leal y que le había defendido a él y al reino de Cornualles con su cuerpo contra el caballero Morholt y un dragón.

A pesar de la firme defensa de Marcos a Tristán, una maligna semilla de duda se había plantado en el pecho del rey, y comenzó a observar a Tristán para ver si había algún signo del amor del que le habían hablado. Marcos se cansó de eso pronto, porque aunque vio el afecto entre la pareja no pudo encontrar ninguna razón para pensar que lo suyo era algo más que una amistad cariñosa, ni que le habían traicionado de ninguna manera. Sin embargo, la duda permaneció, hasta que finalmente el rey no pudo soportarla más. Llamó a Tristán y le contó los rumores difundidos por los nobles—. No creo que me hayas traicionado—le dijo Marcos a Tristán—pero sin embargo creo que es mejor que te retires de mi corte, tanto por la tranquilidad de mi mente como para evitar los chismes sucios contra tu honor y el de mi reina.

Tristán se entristeció al oír estas palabras, pero obedeció a su lord sin protestar. Llevándose solo a su escudero Gorvenal, dejó el castillo de Tintagel ese mismo día. No pudo ir muy lejos: al encontrar alojamiento para él y para Gorvenal en la ciudad de Tintagel, esperó que Marcos cediera y lo volviera a poner a su servicio. Y allí encontró una prueba más dolorosa que cualquier otra que hubiera soportado, más dolorosa incluso que su combate con Morholt, y más difícil para su coraje incluso que su batalla con el dragón, ya que no podía ni siquiera ver a Lady Isolda ni de día ni de noche.

Isolda también sufrió gravemente. Porque era su parte fingir amor por el rey Marcos, y acostarse a su lado cada noche como su esposa aunque amara a otro. Isolda ya no tenía ni las rápidas miradas robadas ni el discurso cortesano que había intercambiado con Tristán cuando podía, y por eso se afligía por él y empezaba a consumirse.

Brangien lo vio y supo que si Isolda no podía ver a Tristán, ella moriría. Brangien buscó a Tristán y lo encontró en su alojamiento en el pueblo, donde también había empezado a marchitarse. Brangien le dijo a Tristán que viniera al huerto del castillo y se parara bajo cierto pino, donde debía tirar trozos de madera al manantial que pasaba junto al pino cuando deseaba ver a Isolda, ya que el arroyo corría por los aposentos de las mujeres del castillo. Tristán hizo esto, y a veces él e Isolda se encontraban en el huerto, luego se separaban y volvían a sus propias moradas antes de ser descubiertos. Y en este sentido, la salud y la alegría de ambos regresaron.

El rey Marcos estaba muy contento de que su reina hubiera recuperado su antiguo vigor, aunque poco sabía de su causa. Los cuatro malvados señores también lo vieron, y sus astutos corazones sospecharon la razón. Por lo tanto, enviaron por un mago que conocían, para buscar su ayuda para descubrir cómo era que Isolda y

Tristán se encontraban todavía. El mago lanzó un hechizo y vio cómo Tristán e Isolda se encontraban en el huerto. Los malvados nobles llevaron al mago de vuelta al castillo, donde le dijo al rey Marcos que todavía estaba siendo traicionado por los amantes, y cómo acecharlos para atraparlos en su desgracia.

Esa noche, el rey Marcos fue al huerto llevando consigo su arco y también al mago, para ver la verdad de su afirmación. Marcos se escondió en el pino donde estaba la fuente, y pidió al mago que se escondiera también. Marcos vio a Tristán poner las astillas de madera en el manantial como era su costumbre, y pronto Lady Isolda vino a través de los árboles hacia él. Marcos clavó una flecha en la cuerda, pensando en matar a Tristán a la primera señal de traición. Tristán escuchó el sonido y supo que estaban siendo observados. Pero no podía ni moverse ni gritar a Lady Isolda por miedo a que el arquero la matara.

Incluso en la oscuridad, Isolda pudo ver la angustia de Tristán en la forma en que se paró. Miró a su alrededor, pensando también que tal vez habían sido descubiertos. Cuando vio la sombra del rey Marcos en las aguas del manantial, supo lo que tenía que hacer, y solo podía esperar que Tristán entendiera su designio.

—Oh, Señor Tristán—dijo— ¿por qué me has llamado aquí? No es justo que hagas esto, como bien sabes. Me lo has pedido muchas veces y nunca te he respondido, pero he venido esta noche con la esperanza de que tus súplicas cesen después.

—Milady—respondió Tristán—es verdad que he preguntado muchas veces, pero solo lo he hecho para descubrir si sabe por qué el rey Marcos se ha vuelto contra mí, porque no sé de ninguna falta que haya cometido que pueda enfadarle tanto. Vengo a pedirle ayuda, porque seguramente escuchará a su reina.

Isolda respondió—: ¿No sabes que el rey cree que lo has traicionado conmigo? Y yo que solo he amado a quien primero prometió amor a los hombres. Si el rey se enterara de que he venido a ti, nuestras vidas se perderían.

Entonces Isolda se dio vuelta y comenzó a caminar de regreso al castillo.

—¡Señora! – gritó Tristán—. En nombre de Dios, le suplico que ruegue al rey por mí, porque no le he hecho ningún mal.

Isolda se volvió y dijo—: El Señor Dios sabe que eres inocente, aunque el rey no lo sepa. Por lo tanto, conténtate.

Luego pasó entre los árboles y fuera de la vista. Marcos la vio irse y vio que Tristán no hizo ningún movimiento para seguirla, sino que se dio la vuelta y dejó el huerto. El mago también lo vio, y por eso huyó de Cornualles, para que el rey no pensara que le había engañado y le matara. Pero Marcos volvió al castillo, y al día siguiente envió un mensaje diciendo que había perdonado a Tristán, diciendo que sabía que los rumores eran mentiras, y que Tristán era una vez más bienvenido en la corte.

Los cuatro envidiosos nobles vieron esto y su odio hacia Tristán se incrementó. Otra vez intentaron envenenar la mente del rey, pero él no los escuchó. Una y otra vez se acercaron a Marcos con sus quejas, y finalmente la resolución del rey fracasó. Aceptó permitirle al mago otra prueba. Esta vez, el mago le dijo a Marcos que enviara a Tristán a hacer un recado lejos de Tintagel, pues seguramente Tristán no podría resistirse a hablar con la reina antes de irse, y esto sería una prueba del amor que le tenía. Marcos ordenó que se hiciera como dijo el mago.

Tristán se levantó antes del amanecer para llevar el mensaje. Todo el castillo parecía estar aún dormido, así que Tristán pensó que era seguro despedirse de la reina antes de irse. Fue a su habitación, y cuando abrió la puerta vio que le habían tendido una trampa: había harina fina esparcida por el suelo entre la puerta y la cama de Isolda, obra del mago. Pensando en frustrar la trampa, Tristán dio un gran salto entre la puerta y la cama. Pero también había sido herido ese mismo día en una cacería de jabalíes. El salto de Tristán hizo que la herida sangrara de nuevo, y así las gotas de sangre se esparcieron en un sendero entre la puerta y la cama de la reina, pero Tristán no lo sintió y no lo notó.

El mago había seguido a Tristán en secreto, y cuando le vio entrar en la cámara de Isolda dio la alarma. Marcos y los cuatro nobles entraron corriendo en la habitación para encontrar a Tristán allí de pie, la sangre de su herida era una prueba segura de su culpabilidad. Los nobles se abalanzaron sobre Tristán y lo tomaron prisionero, y también a la reina, y Marcos les dijo—: Ahora veo que su culpa no era un mero rumor. Morirán por esto.

Tristán pidió que se le permitiera probar su inocencia y la de la reina por medio de una prueba de armas, pero el rey no quiso oírlo. Los encerró en celdas en el calabozo, y al día siguiente preparó una pira para quemar a los amantes. Cuando el pueblo de Tintagel se enteró de la intención del rey, gritaron que era un falso rey que quemaba a los acusados sin siquiera un juicio. Pero el corazón del rey estaba ahora tan afligido que no los escuchó, y pidió que Tristán fuera llevado a su perdición.

Ahora, entre el calabozo y el lugar donde Marcos había hecho la pira había una chimenea en el borde de un acantilado. Cuando Tristán fue llevado más allá de la capilla, rogó a sus guardias que le permitieran entrar y decir una última oración antes de morir—. Solo hay una puerta—dijo Tristán—y ustedes están armados, pero yo no; seguramente no podría salir sin que lo supieran, ni podría liberarme de ustedes .

Los guardias accedieron a esta petición. Le cortaron las ataduras a Tristán para que pudiera rezar con más facilidad y le dejaron entrar en la iglesia. Tristán se dirigió directamente a la ventana detrás del altar, porque abajo había una gran caída a la playa, y pensó quitarse la vida así en vez de ser quemado como un criminal común. El joven caballero irrumpió en la ventana y cayó en picado hacia la tierra, pero al hacerlo el viento le atrapó el manto y ralentizó su caída, de modo que no murió ni resultó gravemente herido. Allí encontró a Gorvenal esperándole con un caballo, ya que el escudero había visto a Tristán entrar en la capilla, y descifrando lo que estaba en la mente de su amigo había pensado en ayudarle a escapar. Y así, juntos, Tristán y Gorvenal fueron a un lugar donde podrían permanecer escondidos mientras esperaban noticias de lo que le había ocurrido a Isolda.

Cuando Marcos oyó que Tristán había escapado, su ira se duplicó. Ordenó que trajeran a Isolda de inmediato y la quemaran. Ahora, una compañía de leprosos había venido a ver la quema, y tan pronto como Isolda fue llevada ante el rey, el líder de ellos, un hombre llamado Iván, gritó—: Milord, si quiere castigar a la reina con más seguridad, envíela a vivir con nosotros. Solo muere una vez por el fuego, pero en nuestra compañía su tormento será más largo. —Iván era un hombre cruel, y celoso de la bella reina, y esperaba hacerla su propia esclava.

Marcos pensó en esto por un momento, y luego aceptó el plan de Iván. Ordenó que la entregara a los leprosos, quienes se la llevaron con ellos. Muy pronto, la banda de leprosos se acercó al lugar donde se escondían Tristán y Gorvenal. Al ver a su amada tan maltratada, Tristán se lanzó al camino y les gritó que se detuvieran. Provocados por Iván, los leprosos tomaron sus bastones y muletas y avalanzaron sobre Tristán, pensando en matarlo donde estaba. Y lo habrían conseguido si Tristán hubiera estado solo, pues aunque hubiera podido matarlos a todos en un santiamén, incluso sin su espada, no se atrevería a golpear a estas lamentables criaturas ni siquiera con los puños.

Gorvenal fue quien acudió al rescate, balanceando una robusta rama de roble y golpeando a los leprosos. Aquellos a los que no golpeó huyeron, pero Gorvenal no los persiguió. Más bien reunió a Tristán e Isolda y después de perder sus ataduras se fueron al bosque de Morois. Gorvenal le dio a Tristán un arco y algunas flechas, y también su espada, y luego se despidió de los amantes, diciendo que no le diría a nadie dónde estaban, pero que vendría al bosque de vez en cuando para ver cómo les iba.

Y así Tristán e Isolda vivieron en el bosque, haciendo rudas chozas para su refugio y comiendo la comida que el bosque les proporcionaba. Aunque pronto se tornaron demacrados por el hambre y sus ropas se hicieron añicos, los amantes estaban contentos, porque estaban juntos y no había nadie que les contradijera. En tal felicidad vivieron, hasta que un día un leñador encontró por casualidad a Tristán y a su señora dormidos en su cabaña, con la espada desnuda de Tristán entre ellos. El leñador cabalgó de inmediato hacia el rey Marcos y le dijo dónde podían encontrarse Tristán y la reina, ya que el rey había ofrecido una rica recompensa al que le trajera esta noticia.

Marcos se fue al bosque con el leñador, y cuando estuvieron cerca del lugar donde estaban Tristán e Isolda, el rey le ordenó al leñador que se fuera y siguió solo. Marcos sacó su espada, pensando en matar a los amantes. Pero cuando Marcos los vio, se maravilló de su belleza a pesar de sus ropas andrajosas y sus caras demacradas. También vio que dormían con una espada desnuda entre ellos, y así supo que su amor había sido casto todo el tiempo. Marcos envainó su espada, luego se acercó en silencio a la cabaña donde suavemente tomó la espada de Tristán de entre el caballero y la reina y dejó la suya en su lugar. Tomó un anillo real de su dedo y lo colocó en la mano de la reina. Marcos se retiró tan silenciosamente como había llegado, y volvió a Tintagel.

Su sueño era tan profundo que Isolda no se despertó, pero soñó que Marcos había venido a ella y se lo contó a Tristán cuando despertó. Cuando vieron el anillo, y que faltaba la espada de Tristán y estaba la del rey en su lugar, supieron que el sueño de Isolda había sido real. Temiendo la ira del rey, Tristán e Isolda huyeron a las profundidades del bosque.

Tristán e Isolda pensaron juntos en lo que podrían hacer, así que buscaron al ermitaño que vivía en el bosque y le pidieron que escribiera una carta al rey. En la carta decían que Tristán llevaría a Isolda a la corte si ellos tenían un salvoconducto, y que allí ofrecería batalla por su honor y por el de Isolda. Y si era derrotado, el rey podría quemarlo, pero si salía victorioso, el rey debía recuperar a Isolda y volver a poner a Tristán en servicio, o bien se marcharía a un país lejano y serviría a otro rey allí. Si Marcos no respondía, Tristán la llevaría de vuelta a Irlanda donde podría vivir con honor entre su propia gente.

Marcos leyó los términos de Tristán a sus nobles, quienes aconsejaron al rey que recuperara a Isolda y dejara que Tristán se fuera a un país lejano. Entonces el rey Marcos gritó—: ¿Hay alguien aquí que culpe al Señor Tristán?

Y hubo silencio, pues ninguno de los nobles quería ver a Tristán en las listas.

Marcos, por lo tanto, mandó decir que Isolda sería devuelta pero que Tristán debía dejar Cornualles para siempre, y que en tres días se encontraría con ellos en el vado de cierto río para que Isolda le fuera devuelta. Sabiendo que debían separarse pronto, Isolda le dio a Tristán su anillo como muestra, diciendo que si alguna vez la necesitaba debía enviarle el anillo y ella haría lo que le pidiera. Tristán, por su parte, le dio a Isolda su perro de caza para que fuera su compañero y un recordatorio de su amor por ella.

El día señalado, Tristán llevó a Isolda al vado, y ella llevaba ropa fresca comprada para ella por el ermitaño para no ir ante el rey y sus nobles vestida como una mendiga. Allí, Tristán se puso de pie y dijo—: He aquí que le traigo a Isolda, como lo prometí. Pregunto una vez más si algún hombre dará batalla para que yo pueda probar mi honor.

Y nadie le respondió.

Entonces Tristán e Isolda se despidieron. Isolda regresó al castillo con el rey y Tristán se preparó para dejar Cornualles. Pero antes de irse, se escondió en la cabaña de un leñador que se había hecho amigo de ellos para ver si Isolda era bien tratada en la corte.

Pero los malvados nobles seguían insatisfechos con la deshonra de Tristán. Aconsejaron al rey que sometiera a la reina a una dura prueba de hierro, para probar su inocencia. Esto llenó de rabia a Marcos, y los desterró del reino. Cuando regresó a su habitación, encontró a Isolda allí. Ella le preguntó—: ¿Por qué está milord tan enfadado?

Entonces Marcos le dijo lo que los nobles le habían pedido, y dijo—Pero no debes temer, porque nos he librado de ellos, y sé que eres fiel.

Pero Isolda respondió—: Déjame pasar por esa prueba, que mi nombre quede limpio para siempre, y que tus desterrados nobles también asistan para que puedan ver esto con sus propios ojos. Pero invita al rey Arturo y sus nobles al juicio también, porque los señores de Cornualles me desean lo contrario, pero el testimonio de Arturo otros creerán.

Isolda envió a su escudero Perinis a Tristán en secreto, diciéndole que se disfrazara de pobre peregrino, para que pudiera presenciar el juicio en secreto y a salvo.

El día señalado, el rey Marcos y los señores de Cornualles se reunieron con el rey Arturo y sus nobles en un campo donde se iba a celebrar el juicio. Tristán también fue, disfrazado de peregrino, para ver lo que pasaba. Un brasero había sido colocado allí, lleno de carbones calientes, y una barra de hierro colocada dentro, porque Isolda iba a tomar el hierro caliente con sus propias manos, y si ella era inocente, Dios la protegería y no sería dañada. Isolda se acercó, vestida simplemente con un traje blanco. Después de rezar una oración con el sacerdote, juró que ningún hombre, excepto su legítimo marido, la había tenido en sus brazos. Luego fue al brasero y tomó de él la barra de hierro con sus propias manos. Caminó nueve pasos con ella, y luego la arrojó. Se volvió hacia Marcos y los lores reunidos y les mostró sus manos y brazos, los cuales se mantuvieron frescos y sin marcas. Todos alabaron a Dios y juraron que ya no se dudaría del honor de Isolda.

Tristán también presenció el juicio, y cuando vio que el honor de Isolda había sido reivindicado, supo que era el momento de dejar Cornualles. Por lo tanto, tomó las armas y fue con Gorvenal de reino en reino, sirviendo a cada lord solo un poco, ya que su corazón nunca podría estar tranquilo sin Isolda. Durante dos años vivió así, hasta que llegó a Bretaña, donde ayudó a Hoel, el duque de esa tierra, a librarse de un malvado barón que estaba arrasando el país. Allí Tristán se quedó un tiempo, y se hizo compañero de aventuras del hijo de Hoel, Kaherdin. Después de un tiempo, Kaherdin le dijo a su padre—: Tristán es un caballero como ningún otro, y sería un buen marido para mi hermana. Le pido permiso para ofrecérsela.

Hoel estuvo de acuerdo, así que Kaherdin fue a Tristán y le dijo que su hermana, que también se llamaba Isolda, sería su esposa, si Tristán estaba dispuesto, y Tristán dijo que sí. Pero en la noche de bodas, mientras Tristán se desnudaba, el anillo que Isolda, la reina de Cornualles, le había dado se cayó de la manga donde siempre lo guardaba, y él terminó arrepentido de haberse casado.

En Cornualles, Isolda, por su parte, suspiraba por Tristán, porque sabía que se había ido lejos, y nunca le envió ni una sola palabra de cómo le había ido. No sabía nada de cómo habían pasado los años para él hasta que un día un noble visitante llamado Kariado vino a ella y trató de cortejarla. Ella lo rechazó, y él le dijo—: Deberías suspirar por tu bello caballero, pues Tristán está casado con Isolda de Bretaña, la hija de un duque.

Entonces Kariado se marchó para no volver nunca, pero el dolor de Isolda se hizo más grande.

Aunque Tristán se había casado con otra, siempre pensó solo en Isolda de Cornualles. Así que un día se disfrazó arrojando trapos de mendigo sobre su propia ropa, y luego dejó el castillo de Hoel en secreto y buscó un barco que pudiera llevarlo a Cornualles. Después de muchos días y noches en el mar, el barco finalmente atracó en el puerto de Tintagel, donde Tristán vagaba como un mendigo, siempre atento a las noticias de Lady Isolda. Finalmente supo que ella estaba en el castillo de Tintagel, al igual que el rey y toda su corte. Entonces Tristán ideó un plan para poder ver a la reina sin ser descubierto. Cambiándose de ropa con un tosco pescador, Tristán se cortó el pelo largo y se lo afeitó casi hasta el cuero cabelludo. Luego preparó una poción que oscurecería su piel, y cortó un palo de roble de un árbol cercano. Así disfrazado, fue a la puerta del castillo y fingió que era un bufón que venía a entretener al rey y a los señores del castillo.

Tristán brincaba y parloteaba ante la corte, y todos se reían de corazón, todo menos Isolda, pues el bufón les enumeraba las acciones que Tristán había hecho, reclamándolas para sí, y aunque todos pensaban que solo era un loco delirante, Isolda estaba herida hasta la médula, pues pensaba que el bufón se burlaba del hombre que más amaba. Después del banquete, Tristán se quedó en la sala, solo, hasta que Brangien pasó por allí, junto con Lady Isolda. Tristán se acercó a ellas y les dijo cosas que solo él e Isolda sabían, y finalmente ella supo que él era su amado. Durante tres días Tristán saltó y simuló delante los cortesanos como un bufón, y durante tres noches fue en secreto a ver a Lady Isolda. Pero después de ese tiempo Tristán supo que debía irse, pues los cortesanos sospechaban de las atenciones entre la dama y el bufón.

Y así Tristán volvió a Bretaña, donde sirvió bien al duque Hoel, hasta que un día fue emboscado por un enemigo y su costado fue atravesado por una lanza envenenada. Tristán sabía que esto era seguramente su muerte, así que llamó a Kaherdin y le contó toda la historia de su amor por Isolda de Cornualles, pensando que nadie podía oírle. Excepto Isolda, que era su esposa, que se enfadó y planeó su venganza contra Tristán.

A petición de Tristán, Kaherdin llevó el anillo que Isolda le había dado a Cornwall, para decirle a Lady Isolda que viniera a Bretaña a darle un último adiós a Tristán. Kaherdin debía llevar consigo dos velas: una blanca, si Isolda estaba con él, y otra negra, si no lo estaba. A diario Tristán miraría el horizonte, y sabría así si su amada venía a él. Cuando Isolda oyó el relato de Kaherdin, se fue con él gustosamente, pero el mar agitado y una violenta tormenta desviaron su barco de su rumbo, y para cuando se acercaron al puerto, con la vela blanca en alto, Tristán estaba demasiado débil para seguir mirando por la ventana. Fue entonces cuando Isolda de Bretaña tuvo su venganza, pues cuando Tristán preguntó si había alguna noticia del regreso de Kaherdin, ella dijo que sí. Y cuando Tristán preguntó por el color de la vela, ella dijo—Por qué, milord, es negro como la noche.

Al oír esto, el corazón de Tristán se rompió, y al respirar el nombre de su amada, murió. Cuando el barco llegó al puerto, encontraron a toda la ciudad de luto. Isolda preguntó a uno de los nobles que había venido a saludar al barco cuál era la causa de su dolor, y dijo—: Señora, lloramos por el caballero más grande del mundo. Tristán de Lyonesse ha muerto.

Entonces Isolda subió al castillo y entró en la cámara de Tristán, donde la otra Isolda lloraba sobre su cadáver y se arrepentía de su acto—. Señora—dijo Isolda de Cornualles—, ¿puede apartarse usted? Porque siempre le he amado, incluso más tiempo que usted.

Isolda de Bretaña se apartó mientras Isolda de Cornualles besaba a Tristán en los ojos y la frente, y luego en los labios. Luego se acostó junto a su amado y también respiró por última vez. Al enterarse de las muertes de Tristán e Isolda, Marcos hizo que se hicieran ataúdes finos para ellos. Vino a Bretaña y llevó sus cuerpos a Cornualles, donde los hizo enterrar en el mismo lugar donde Tristán había dado el salto. Una noche, un brezo creció en la tumba de Tristán, y se abrió paso a través de la capilla hasta que se posó en la tumba de Isolda. Y los que cuidaban la capilla cortaron el brezo, pero cada noche volvía a crecer. Cuando Marcos fue informado de esto, prohibió a los cuidadores que cortaran más el brezo.

Y así termina la historia de amor entre Tristán e Isolda.

Guía de pronunciación

Las lenguas celtas modernas se dividen en dos grandes grupos: El gaélico bretónico (también conocido como celta P) y el gaélico goedélico (también conocido como celta Q). La rama bretona incluye el bretón, el galés y el córnico. De estos, sólo el bretón y el galés siguen teniendo hablantes nativos. El córnico se extinguió como primera lengua en el siglo XVIII, pero resurgió a principios del siglo XX. La rama goedélica incluye el manés y los diversos dialectos del gaélico irlandés y escocés. Estos dos últimos siguen siendo la primera lengua para un pequeño porcentaje de la población de esos países. El último hablante nativo de manés murió en 1974, pero el manés ha seguido siendo hablado como segunda lengua en la isla de Man.

Se utilizarán las siguientes normas para los sonidos de la guía de pronunciación:

ai = como en fair «fe(ə)r»

ay = como en shy «SHī»

ah = como en far «fär»

ee = como en feet «fit»

eh = como en yet «yet»

ih = como en it «it»

oh = como en no «nō»

oo = como en food «fo͞od»

ow = como en down «doun»

oy = como en boy «boi»

uh = como en under «əndər»

g = como en good «go͝od», never como en giant «jīənt»

ch = ch como en loch «läKH»

tch = ch como en child «CHīld»

th = th mudo como en thin «Thin»

th = vocalizado th como en they «TH̲ā»

Nombres y palabras irlandesas

Ailbhe (AIL-vyeh):	Hija adoptiva de Bodb Derg
Alba (AHL-bah):	Escocia
Amergin (AH-mehr-gin):	Padre adoptive de Cú Chulainn
Aobh (AIV):	Hija adoptiva de Bodb Derg y primera esposa de Lir
Aodh (AITH	Hijo Aobh y Lir, hermano gemelo de Fionnula
Aoife (EE-feh):	Segunda esposa de Lir
Bodb Derg (BOHV DAIRG):	Rey de Tuatha Dé Danann
Breg (BREGG):	Llanura entre los ríos Liffey y Boyne en el condado de Meath, en el este de Irlanda
Bricriu (BRIK-roo):	Uno de los nobles de Ulster bajo el rey Conchobar
Brugh na Boinne (BROO nah BOYN):	Sitio de las tumbas del valle de Boyne, condado de Meath, Irlanda oriental

Carraig na Ron (KAIR-egg nah ROHN):	La roca de las foca
Cathbad (CAH-hbahd):	Druida de la corte de Conchobar
Conall (KONN-all):	Uno de los nobles de Ulster bajo el rey Conchobar
Conchobar (KONN-uh-cover):	Rey del Ulster y padre adoptivo de Cú Chulainn
Conn (KONN):	Hijo de Aobh y Lir
Connacht (KON-ahcht):	Provincia de Irlanda centro-occidental
Cu (KOO):	Palabra gaélica irlandesa para “sabueso”
Cú Chulainn (KOO-CHUH-lin):	“Sabueso de Culann”; héroe superhumano de Ulster
Culann (KOO-lown):	Herrero cuyo perro guardián es destruido por Cú Chulainn
Dagda (DAHG-duh):	Antigua deidad celta; uno de los Tuatha Dé Danann y padre de Bodb Derg
Deichtine (DAICH-tin-eh):	Hermana de Conchobar
Deoch (DAI-och):	Esposa de Lairgnen, rey de Irlanda
Diarmuid (DEER-mud):	Guerrero irlandés y personaje de la historia del Ciclo Feniano “La búsqueda de Diarmuid y Grainne”
Edmonn (ED-mon):	Lugar de Irlanda mencionado en la historia del nacimiento de Cú Chulainn

Emain Macha (EH-vin MAH-chah):	Sede de la corte de Conchobar en Ulster; también conocido simplemente como "Emain"
Fergus (FAIR-gus):	1. Uno de los nobles de Ulster bajo el rey Conchobar 2. Hijo de Bodb Derg y uno de los Tuatha Dé Danann
Fiachra (FEE-ah-chra):	Hijo de Aobh y Lir; hermano gemelo de Conn
Fidchell (FEED-chell):	Antiguo juego de mesa irlandés que puede haber sido similar al ajedrez
Finn mac Cumhaill (FINN MAK KOO-uhl):	Antiguo héroe irlandés del Ciclo Feniano del mito
Finnchaem (FINN-uh-chaym):	Hermana de Conchobar y madre adoptiva de Cú Chulainn
Fionnula (FINN-oo-lah):	Hija de Aobh y Lir; hermana gemela de Aodh
Follamain (FALL-uh-vin):	Hijo de Conchobar
Gadhar (GAY-ar):	Palabra gaélica irlandesa para "perro"
Grainne (GRAH-nyeh):	Mujer prometida a Finn mac Cumhaill en la historia "La búsqueda de Diarmuid y Grainne"
Imrith (IM-rih):	Nombre de la fortaleza de Amergin y Finnchaem del Ulster
Inis Gluaire (IN-ish GLOO-air-eh):	Isla frente a la costa del condado de Mayo, Irlanda

	occidental
Irrus Domnann (IHR-us DOV-nown):	Nombre de lugar irlandés
Laegire (LAY-gir-eh):	Uno de los nobles de Ulster bajo el rey Conchobar
Lairgnen (LAIRG-nen):	Un rey de Irlanda
Lir (LEER):	Uno de los Tuatha Dé Danann; originalmente Lir puede haber sido un dios del mar
Loch Dairbhreach (LOCH DAIR-uh-vrach):	"Lago de los robles": lago en el condado de Westmeath, Irlanda
Lug (LOOG):	Antigua deidad celta; probablemente un dios solar, asociado a los guerreros
Lug mac Ethnenn (LOOG mak EH-hnen):	Un avatar de Lug
Mil (MEEL):	Líder de un grupo que invadió Irlanda en la seudo-historia "Libro de las Tomas de Irlanda"
Mochaomhog (MOH-chay-vohg):	Sacerdote que construyó una iglesia en Inis Gluaire
Morann (MOHR-own):	Juez en la corte de Conchobar
Murtheimne (MOOR-hev-neh):	Lugar en el noreste de Irlanda, condado de Louth
Setanta (SHAI-tan-tah):	El nombre de la infancia de Cú Chulainn
Sidhe (SHEE):	La "gente buena" o la gente de las hadas; los Tuatha Dé

	después de la llegada del cristianismo
Sidhe Fionnachaidh (SHEE FINN-ah-chai):	Una de las casas de los Tuatha Dé Danann antes de la llegada del cristianismo
Sliab Fuait (SLEE-av FOO-itch):	Pico de las montañas Fews, condado de Armagh, Irlanda
Sruth na Maoile (SROO nah MEEL-yeh):	El estrecho de Moyle; estrecho entre Irlanda del Norte y Escocia
Sualdam mac Roich (SOO-al-dam mak ROYCH):	Esposo de Deichtine y tercer padre de Cú Chulainn
Táin Bó Cúailnge (TAYN BOH KOO-al-nyeh):	Épica historia de héroes irlandeses de la guerra entre el Ulster y Connacht
Tuatha Dé Danann (TOO-ah-ha JAI DAH-nan):	"Hijos de la Diosa Danu"; raza de seres sobrenaturales que vienen a Irlanda en la seudo-historia "Libro de las Tomas de Irlanda"; pueden haber sido originalmente los dioses celtas

Nombres y palabras galesas

La guía de pronunciación es la misma que la anterior, con la adición de la "rh" y la "ll" galesas. Estos sonidos no existen en inglés.

ll = una "l" muda; el análogo más cercano que utiliza la pronunciación inglesa es pensar que es una especie de sonido "lth" o "thl", dependiendo de dónde caiga en la palabra

rh = una "r" muda; el análogo más cercano que usa la pronunciación inglesa es como "hr"

Anlawdd (AHN-lowth):	Abuelo de Culhwch; padre de Goleuddydd
Annwfn (Ah-NOO-vin):	Reino del otro mundo
Arawn (ah-ROWN):	El rey sobrenatural de Annwfn
Arberth (AHR-bairth):	Corte de Pwyll, príncipe de Dyfed
Bedevere (BED-weer):	Uno de los caballeros del rey Arturo
Branwen (BRAN-wen):	Protagonista de la segunda rama del Mabinogion; hermana de Manawydan
Cantref (KAHN-trev):	Palabra galesa para condado
Celli Weg (KEL-thee WEGG):	Lugar en Cornualles mencionado en el Mabinogion
Celyddon (kell-ITH-on):	Abuelo de Culhwch; padre de Cilydd
Ceredigion (KAIR-eh-DIG-ee-ahn):	Región de Gales occidental a lo largo de la costa central
Cilydd (KILL-ith):	Padre de Culhwch
Clud (CLID):	Padre de Gwawl
Culhwch (KILL-hooch):	Héroe galés, posiblemente un análogo al dios cerdo Moccus
Custennin (kiss-TEN-nin):	Pastor y padre de Goreu
Cwm Cerwyn (KOOM KAIR-win):	Lugar en Gales mencionado en el Mabinogion
Cyledyr Wyllt (kill-EH-deer WITHLT):	Uno de los caballeros del rey Arturo
Cynddelig Cyfarwydd (kin-THEH-lig kih-VAHR-with):	Uno de los caballeros del rey Arturo

Doged (DOH-ged):	Rey que es asesinado y cuya esposa es llevada a ser esposa de Cilydd después de la muerte de Goleuddydd
Drych Ail Cybdar (DRICH AIL KIB-dahr):	Uno de los tres hombres más rápidos del reino del rey Arturo
Dyfed (DUH-ved):	Nombre del lugar en el Mabinogion
Esgair Oerfel (ESS-geyer OHR-vell):	Lugar en Irlanda mencionado en el Mabinogion
Glyn Ystun (GLINN ISS-tin):	Lugar en Gales mencionado en el Mabinogion
Goleuddydd (go-LAI-thith):	Madre de Culhwch
Goreu (GOHR-ai):	Hijo de Custennin
Gorsedd Arberth (GOAR-seth AHR-bairth):	Nombre del lugar en galés; colina cerca de la corte de Pwyll
Grugyn Gwrych Eraint (GRIG-in GOOR-ich AIR-eyent)	Uno de los hijos del jabalí Twrch Trwyth
Gwalchmai mab Gwyar (GWAHLCH-meye mahb GOO-yahr):	Uno de los caballeros del rey Arturo
Gwawl (GOO-owl):	Rival de Pwyll por la mano de Rhiannon
Gwent Is Coed (GWENT iss COYD):	Nombre del lugar en el Mabinogion; sitio del noble Teyrnon Twrf Liant
Gwri Wallt Euryn (GOO-ree WALTHT AI-rin):	Nombre de niño de Pryderi, hijo de Pwyll y Rhiannon, e hijo adoptivo de Teyrnon
Gwyn (GWIN):	Personaje de la historia de

	Culhwch y Olwen
Gwyrhyr Gwstad Ieithoedd (GOOR-heer GOO-stahd ee-YAI-thoyth):	Uno de los caballeros del rey Arturo
Hafgan (HAHV-gahn):	Rival de Arawn por las tierras en Annwfn
Hafren (HAHV-ren):	Río en Gales
Hyfaidd Hen (HUH-veth HEN):	"El viejo Hyfaidd"; padre de Rhiannon
Kai (KEYE):	Uno de los caballeros del rey Arturo
Llyr (THLEER):	Padre de Branwen y Manawydan; análogo galés del lir irlandés
Mabinogion (mah-bi-NOH-gyon):	Colección de mitos y leyendas galesas
Mabon (MAH-bohn):	Uno de los caballeros del rey Arturo
Manawydan (mah-NAH-wih-dan):	Personaje principal de la tercera rama del Mabinogion; hermano de Branwen
Math (MAHTH):	Personaje principal de la cuarta rama del Mabinogion
Mathonwy (MAHTH-on-wee):	Padre de Math
Menw (MEN-oo):	Uno de los caballeros del rey Arturo
Modron (MOH-drohn):	Padre de Mabon
Nudd (NITH):	Padre de Gwyn
Olwen (OHL-wen):	Esposa de Culhwch e hija de Ysbaddaden Pencawr

Porth Clais (POHRTH KLEYESS):	Lugar en Gales mencionado en el Mabinogion
Pryderi (prih-DAIR-ee):	Hijo de Pwyll y Rhiannon
Prydwen (PRID-wen):	El nombre del barco del rey Arturo
Pwyll (POO-ilth):	Señor de Dyfed; amigo de Arawn, esposo de Rhiannon, padre de Pryderi
Teirgwaedd (TAIR-gweyeth):	Padre de Menw
Teyrnon Twrf Liant (TAI-eer-non TOORV LEE-ahnt):	Noble que acoge al hijo expósito de Pwyll y Rhiannon
Twrch Trwyth (TOORCH TROO-with):	Un rey que se convirtió en un jabalí gigante
Ysbaddaden Pencawr (ISS-bah-THAH-den pen-KOWR):	Jefe de los gigantes y padre de Olwen
Ystrad Tywi (UH-strahd TUH-wee):	Uno de los cantrefs mencionados en el Mabinogion
Ystrad Yw (uh-STRAHD EE-oo):	Lugar en Gales mencionado en el Mabinogion

Otros nombres y palabras

La pronunciación de los nombres personales de “La ciudad ahogada de Ys” y “El romance de Tristán e Isolda” se dan en su mayoría según las normas del francés antiguo, excepto “Tintagel”, que tiene una pronunciación en inglés moderno, y “Menez-Hom”, que es bretón.

La guía de pronunciación es la misma que la dada anteriormente, con la excepción de la “u” redondeada, que no existe en irlandés o en inglés.

ü = “u” redondeada como en el francés moderno “cru”

Andret (AHN-dret):	Uno de los cuatro malvados nobles de Cornualles
Baie de Douarnenez (BAI de DOO-ahr-neh-NEHZ):	Bahía a lo largo de la costa de Bretaña
Baie de Trepasses (BAI de tre-PASS-eh):	Bahía a lo largo de la costa de Bretaña
Blanchefleur (blahnsh-FLOOR):	Madre de Tristán; esposa de Rivalen; hermana de Marcos
Brangien (BRAN-zhee-en):	Doncella de Isolda
Corentin (KOH-ren-tin):	Ermitaño que ayuda a Gradlon; más tarde obispo de Cornouaille
Cornouaille (kor-noo-AY):	Región de Bretaña
Dahut (dah-HÜT):	Hija del rey Gradlon de Cornouaille
Denoalen (deh-NOH-ah-len):	Uno de los cuatro malvados nobles de Cornualles
Dinas (DEE-nass):	Senescal de Cornualles y amigo de Tristán
Epona (eh-POH-nah):	Diosa celta de los caballos
Gondoit (GON-doh-eet):	Uno de los cuatro malvados nobles de Cornualles
Gorvenal (GOHR-ve-nahl):	Escudero de Tristán
Gradlon (GRAHD-lon):	Rey de Cornouaille
Guenelon (GWEN-eh-lon):	Uno de los cuatro malvados nobles de Cornualles
Guenole (gwen-oh-LAI):	Abad del monasterio de Landevennec
Hoel (HOH-el):	Duque de Bretaña; padre de Isolda de Bretaña y Kaherdin; suegro de Tristán

Isolda (ee-SOOLT):	1. Esposa del rey Marcos de Cornualles; amante de Tristán 2. Hija de Hoel y esposa de Tristán
Kaherdin (KAH-her-din):	Hijo de Hoel y compañero de Tristán
Kariado (kah-ree-AH-do):	Noble que corteja a Isolda de Cornualles
Korrigan (KOHR-rih-gan):	Una criatura del otro mundo en el mito bretón
Landevennec (lahn-de-VEN-nek):	Monasterio en Bretaña
Lyonesse (lee-oh-NESS):	País en Francia en la leyenda arturiana
Marcos (MAHRK):	Rey de Cornualles
Menez-Hom (MEH-nez HOHM):	Bosque en Bretaña
Moccus (MOK-kuss):	Dios cerdo celta
Morgan (MOHR-gan):	Duque bretón que amenaza el reino de Lyonesse y mata a Rivalen
Morholt (MOHR-hohlt):	Caballero irlandés muerto en combate individual por Tristán; tío de Isolda
Perinis (PEHR-in-ees):	Escudero de Isolda
Quimper (KEEM-pehr):	Ciudad de Bretaña
Rivalen (REE-vah-len):	Rey de Lyonesse; padre de Tristán; esposo de Blanchefleur
Rohalt (ro-HAHLT):	Mariscal de Lyonesse; padre adoptivo de Tristán

Roman (roh-MAHN):	Palabra francesa antigua para un poema de verso narrativo, que a menudo tiene que ver con el amor cortesano
Tintagel (tin-TAI-jel):	Castillo en la costa de Cornualles; sede del rey Marcos
Tristan (TRISS-tan):	Caballero que sirve al rey Marcos de Cornwall; amante de Isolda

BIBLIOGRAFÍA

Augusta, Lady Gregory. *Cuchulain of Muirthemne: The Story of the Men of the Red Branch of Ulster.* London: J. Murray, 1902.

Bedier, Joseph. *The Romance of Tristan and Isolda.* Trans. Hilaire Belloc. New York: Dodd, Mead & Co., 1917.

Cross, Tom Peete and Clark Harris Slover, eds. *Ancient Irish Tales.* Totowa: Barnes & Noble Books, 1936.

Davies, Sioned, trans. *The Mabinogion.* Oxford: Oxford University Press, 2007.

Delaney, Frank. *Legends of the Celts.* New York: Sterling Publishing, Inc., 1991.

Eddy, Steve and Claire Hamilton. *Celtic Myths.* Chicago: Contemporary Books, 2001.

Ford, Patrick, trans and ed. *The Mabinogi and Other Medieval Welsh Tales.* Berkeley: University of California Press, 1977.

Guest, Lady Charlotte. *The Mabinogion: From the Welsh of the Llyfr coch o Hergest (The Red Book of Hergest)* in the Library of Jesus College, Oxford. London: Quaritch, 1877.

Hodges, Margaret. *The Other World: Myths of the Celts.* New York: Farrar, Straus and Giroux, 1973.

Kinsella, Thomas, trans. *The Tain: Translated from the Irish Epic Tain Bo Cuailnge.* Oxford: Oxford University Press, 1969.

Macalister, R. A. Stewart. *Lebor gabala Erenn: The Book of the Taking of Ireland.* Vols. 2-5. Dublin: Irish Texts Society, 1939-1941, 1956.

Mac Cana, Proinsias. *Celtic Mythology.* London: Hamlyn Publishing Group, Ltd., 1970.

Marcosale, Jean. *The Epics of Celtic Ireland: Ancient Tales of Mystery and Magic.* Rochester, VT: Inner Traditions, 2000.

O'Connor, Ulick. *Irish Tales and Sagas.* Dublin: Town House and Country House, 1996.

Price, Bill. *Celtic Myths.* Harpenden: Pocket Essentials, 2008.

Rolleston, Thomas William. Myths and Legends of the Celtic Race. London: Harrap, 1911.

Squire, Charles. *The Mythology of Ancient Britain and Ireland.* London: A. Constable, 1906.

Zaczek, Iain. *Chronicles of the Celts.* New York: Sterling Publishing, Inc., 1997.

CPSIA information can be obtained
at www.ICGtesting.com
Printed in the USA
LVHW110926160921
697952LV00001B/10